Ancien médecin chef au centre médical du Mont Sinaï en Floride, Arthur Agatston est aujourd'hui professeur honoraire de l'école de médecine de Miami et possède son propre cabinet de cardiologie. Il vit à Miami Beach avec sa femme Sari et leurs deux enfants.

Régime Miami

(South Beach Diet)

POCKET *Évolution*

Des livres pour vous faciliter la vie!

Allen Carr
**La méthode simple
pour contrôler sa consommation d'alcool**
Boire avec modération, en fait c'est possible !

David Servan-Schreiber
Guérir
le stress, l'anxiété et la dépression
sans médicaments ni psychanalyse.
Après l'intelligence émotionnelle,
une nouvelle «médecine des émotions»

Françoise Colombo
Retrouver l'énergie
Alimentation, yoga, conseils quotidiens.
Un programme de reconstruction énergétique
pour retrouver la forme en douceur.

*Docteur Hervé Robert
Docteur Jean-Marie Bourre*
Réponse à 100 questions sur les régimes
Apprendre à maigrir intelligemment.
Tous les conseils utiles à une perte de poids progressive,
durable et respectueuse de votre santé.

Catherine Serrurier
Ces femmes qui en font trop...
Réflexion sur le partage des tâches au sein du couple.

Mihaly Csikszentmihalyi
Vivre
La psychologie du bonheur.
Voici enfin traduit en français,
l'un des grands classiques du XXᵉ siècle.

Dr Arthur Agatston

Régime Miami

(South Beach Diet)

SOLAR

Ce titre a été publié pour la première fois sous le titre :
THE SOUTH BEACH DIET

Ce livre se présente comme un ouvrage de référence mais ne prétend en aucun cas être un manuel médical. Les informations qu'il dispense ne sont destinées qu'à aider le lecteur dans sa réflexion concernant sa santé. Elles n'ont pas pour but de se substituer à un traitement médical personnalisé prescrit par un médecin ni de dissuader toute personne souffrante de rechercher l'aide d'un professionnel de la santé.
La mention dans ce livre du nom de certaines sociétés, organisations ou institutions n'implique pas la responsabilité de celles-ci sur le contenu de l'ouvrage ni la responsabilité de l'éditeur.

Traduction : Martine Lizambard
Consultante : Solveig Darrigo

ISBN : 2-266-15125-8

À ma femme...

Sommaire

Première partie

Comment fonctionne le régime Miami

1

Perdre du poids pour vivre mieux

Le régime Miami ne supprime ni les glucides, ni les lipides. Il autorise les deux, mais uniquement les bons glucides et les bons lipides. Sans risques pour votre santé et sans trop vous priver, vous perdez ainsi de 4 à 6 kilos dès les deux premières semaines. Vous vous sentez rapidement beaucoup mieux.

Vous pouvez manger de la viande rouge, de la volaille, du poisson, des coquillages en quantités normales ; des œufs, du fromage, des noix, des amandes, des noisettes, autant de légumes que vous le désirez, des salades assaisonnées de véritable huile d'olive et un dessert après le dîner.

Avec trois repas complets par jour, vous êtes toujours rassasié. C'est indispensable, car rien n'est pire qu'un régime qui affame : il est généralement impossible à suivre plus de quelques jours. Le régime Miami vous autorise même des collations entre les repas, si vous en ressentez le besoin. Vous pouvez naturellement boire de l'eau, mais aussi du thé et du café.

Pendant les deux premières semaines, il est impératif de supprimer totalement le pain, le riz, les pâtes, les pommes de terre, les tartes et les viennoiseries ainsi que tous les fruits. Ces aliments seront ensuite réintroduits progressivement dans la seconde phase du régime.

Confiseries, gâteaux, glaces et sucre en général sont à proscrire pendant ces deux semaines, l'alcool, quel qu'il soit, est également à supprimer. Après ces 14 jours, vous pouvez boire du vin, bénéfique pour votre santé à bien des égards, mais pas avant !

Si les féculents vous manquent trop, que ce soit les pâtes, le riz ou les pommes de terre, ou si vous ne pouvez pas vous passer du goût sucré, n'ayez aucune crainte : vous allez être étonné de la facilité avec laquelle vous allez vivre sans sucre. Vous devrez peut-être faire un petit effort le premier jour, voire le deuxième, mais dès le troisième jour, vos fringales disparaîtront totalement. Tous ceux qui ont suivi le régime Miami l'ont constaté, c'est ce qui leur a permis de réussir. S'il est nouveau pour vous, ce régime a en effet déjà fait ses preuves depuis quelques années.

■ La **phase 1** du régime qui dure deux semaines est la plus stricte. La perte de poids, pendant cette période, varie de 4 à 6 kilos. Elle est immédiatement visible, car elle concerne essentiellement l'embonpoint abdominal. En deux semaines, vous vous sentez déjà bien mieux dans vos pantalons...

Au-delà de cette perte de poids très visible, le plus important, ce sont les changements opérés sur votre métabolisme. Dorénavant votre organisme ne réagit

14

plus de la même manière quand vous vous nourrissez. La faim qui conditionnait votre façon de manger a disparu avec la suppression de tous les aliments qui l'entretenaient. C'est notamment le cas des sucres qui favorisent le stockage des graisses. Tant que vous suivez le régime, la faim ne réapparaît pas. Vous perdez progressivement vos mauvaises habitudes alimentaires.

■ Ce changement de métabolisme vous permet de continuer à perdre du poids après les deux premières semaines, tout en réintroduisant des aliments jusque-là interdits. C'est la **phase 2**. Vous êtes toujours au régime, mais, si vous aimez le pain, vous pouvez en manger; des pâtes aussi, ou du riz, si c'est ce que vous préférez. Des céréales, des pommes de terre, et même des fruits et du chocolat.

Naturellement, vous ne pouvez pas consommer tous ces aliments sans limitation. Vous devez choisir ceux que vous préférez. Vous les apprécierez d'autant plus que vous ne vous jetterez plus dessus. Vous leur trouverez sûrement une nouvelle saveur.

Prolongez la phase 2 du régime jusqu'à atteindre le poids désiré. En phase 2, la perte de poids varie de 500 grammes à 1 kilo par semaine. Sa durée dépend donc de l'objectif que vous vous êtes fixé. Une fois ce but atteint, vous pouvez passer à la phase suivante, qui vous permet de maintenir ce poids idéal.

■ La **phase 3** est beaucoup plus souple que la précédente. Vous l'adopterez ensuite définitivement. Il s'agit là davantage d'une hygiène de vie que d'un régime. Vous pouvez manger des aliments très variés en quantités normales et oublier le régime Miami, tant que vous gardez à l'esprit ses règles de base.

Au fur et à mesure de votre perte de poids, votre organisme va assimiler différemment les aliments. Ce n'est pas là le seul effet de ce régime. Il va aussi grandement améliorer vos taux de cholestérol et de triglycérides. À long terme, vous préservez votre santé en réduisant vos risques de maladies cardio-vasculaires.

Vous commencez le régime Miami pour perdre du poids. À son issue, vous réaliserez que dans le même temps votre état général s'est considérablement amélioré : ce régime est sans exagération une véritable assurance-vie

2

Les bons et les mauvais sucres

Je ne suis pas nutritionniste. J'ai consacré toute ma carrière à l'imagerie médicale cardiologique et à ses techniques qui permettent d'observer précisément le cœur et les artères coronariennes. L'imagerie cardiologique est essentielle pour prévenir les maladies cardiovasculaires, en particulier l'infarctus. Je crois avoir une certaine expérience dans ce domaine : aujourd'hui, dans le monde entier, c'est par la méthode Agatston que l'on détermine le taux de calcium dans les artères coronaires en tomographie assistée par ordinateur, l'indice obtenu porte d'ailleurs le même nom. Je travaille actuellement à temps plein en cardiologie, en tant que chercheur et clinicien.

Le régime que je vous propose me vaut d'être à l'origine d'un véritable phénomène de société. Ce régime a depuis longtemps franchi les frontières de la Floride et intéresse désormais de plus en plus de jeunes gens, soucieux de leur ligne.

Rien ne m'a préparé à ce genre de célébrité : je suis régulièrement interpellé par des gens qui m'ont vu à la télévision, ou qui ont lu des articles sur le régime Miami. Cette notoriété est totalement inattendue pour moi, dans une ville symbole de mode, de beauté et de forme physique.

Dans les années 1990, j'ai été très déçu, comme la plupart de mes collègues cardiologues, par le régime que préconisaient les associations de cardiologues : peu de lipides et beaucoup de glucides. Aucun des régimes classiques ne donnait alors de bons résultats, surtout sur le long terme. À cette époque, je me préoccupais seulement de la santé de mes patients, nullement de leur aspect physique ; je cherchais avant tout un régime qui les préserve des graves conséquences de l'obésité, en particulier des affections cardio-vasculaires. N'ayant jamais trouvé un tel régime, j'ai décidé d'en mettre un au point. Aujourd'hui, je me sens aussi à l'aise chez les nutritionnistes que chez les cardiologues. Je donne régulièrement des conférences devant des profession-nels de la santé, médecins ou diététiciens, très concer-nés par une alimentation saine, garante de la forme et du bien-être de leurs patients.

Après m'être intéressé à la diététique dans un but essentiellement thérapeutique, je me suis rapidement rendu compte de l'importance du résultat esthétique des cures d'amaigrissement, qui prime sur tout le reste. Embellir en mincissant est une puissante motivation, peut-être plus forte encore que préserver sa santé ; et ceci quel que soit l'âge des patients. Ils se sentent tel-lement mieux après leur régime qu'ils veillent scrupu-leusement à ne pas retomber dans leurs excès passés. Preuve que l'on peut joindre l'utile à l'agréable, le but premier – retrouver un cœur en bonne santé – étant toujours atteint.

Ce qui n'était au départ qu'une petite incursion dans le monde de la diététique a débouché sur un régime alimentaire tout simple et très sain, et surtout qui fonctionne bien. Aucun régime n'a été étudié d'aussi près et jugé aussi efficace, tant sur le plan esthétique que sur le plan thérapeutique.

J'ignorais naturellement que j'en arriverais là quand j'ai commencé à me préoccuper de mes patients en surpoids, de plus en plus nombreux, auxquels je cherchais seulement à éviter de sérieuses complications. Suivant toutes sortes de thérapies, ils n'obtenaient aucun résultat tant qu'ils ne contrôlaient pas leur régime. De mauvaises habitudes alimentaires avaient provoqué une forte hausse de leurs taux de triglycérides et de cholestérol, facteurs liés à l'athérosclérose. Sans que l'on comprenne bien pourquoi, tous étaient atteints du syndrome qui précède le diabète gras, une affection qui touche la moitié des victimes de crises cardiaques majeures.

À la recherche du bon régime

J'ai commencé à m'intéresser à la prévention des maladies cardiaques dès que j'ai été formé à cette discipline, il y a une trentaine d'années. Dans les années 1970, nous n'avions guère de traitements préventifs pour ce genre d'affections. À la question : «Que faut-il faire pour éviter la crise cardiaque ?», le plus grand spécialiste de l'époque m'avait répondu : «Il faut choisir ses parents.» Soit vous aviez une bonne hérédité et

aucun risque d'infarctus ou d'insuffisance coronarienne, soit vos parents avaient souffert d'affections
cardiaques, et vous risquiez d'en souffrir également,
sans que vous-même ou votre médecin puissiez faire
quoi que ce soit.

En 1984, j'ai assisté à un cours dispensé par Bill
Castelli, un des plus grands chercheurs du collège américain de cardiologie de Bethesda. Castelli venait
d'achever une remarquable enquête sur les maladies
cardio-vasculaires sous l'égide de l'Institut national de
la santé qui mettait en évidence la relation entre le taux
de cholestérol dans le sang et les affections cardiaques.
Pour la première fois, on avait établi qu'une baisse du
cholestérol sanguin engendrait une baisse des risques
cardio-vasculaires.

À l'époque, il n'existait qu'un traitement de la cho-
lestérolémie, il s'agissait d'une résine conditionnée
sous forme de poudre très désagréable à absorber, à
prendre tous les jours avant les repas. Bill Castelli rem-
porta donc un franc succès en annonçant qu'un régime
bien étudié ferait baisser le taux de cholestérol de nos
patients, leur évitant ainsi la crise cardiaque.

Je rentrais à Miami bien décidé à faire profiter tous
mes malades de cette nouvelle sagesse : la santé par la
diététique. J'étais tellement persuadé du bien-fondé du
régime que mon épouse plaisantait en me suggérant de
me reconvertir bientôt, faute de patients, dans une spé-
cialité plus porteuse comme la chirurgie esthétique. Je
devais par la suite me rendre compte que l'on était
encore loin du jour où les cardiologues seraient au chô-
mage…

Je commençais donc à prescrire le régime préconisé
par les associations de cardiologues : peu de lipides et

beaucoup de glucides. Les résultats ne furent pas à la hauteur de mes attentes. À une légère baisse du taux de cholestérol sanguin et à une petite perte de poids succédait immanquablement un retour au même taux de cholestérol, voire à un taux plus élevé, et une reprise du poids originel. Le même phénomène étant observé par tous mes confrères, il fallut se rendre à l'évidence : le régime traditionnel sans matières grasses ne donnait aucun résultat, pour l'amaigrissement comme pour le taux de cholestérol. Aucune étude n'a d'ailleurs pu mettre en évidence que ce régime ait permis de sauver des vies.

Dans les années qui suivirent, je m'intéressais à tous les régimes alors abondamment prescrits, les plus récents émanant en majorité de l'Association américaine de cardiologie. Tous menaient à l'échec : ils étaient impossibles à suivre parce que trop restrictifs ou ne donnaient pas de résultats satisfaisants quant à l'essentiel, c'est-à-dire les taux de cholestérol et de triglycérides sanguins.

Je commençais à me décourager et à ne plus conseiller de régime à mes malades. À l'instar de la plupart de mes confrères, je me contentais de leur prescrire des médicaments qui faisaient effectivement baisser leur taux de cholestérol… mais pas leur poids.

J'entrepris tout de même, avant d'abandonner définitivement la partie, de mettre moi-même au point un régime capable de venir à bout de l'obésité de mes patients. Comme tous les cardiologues, j'avais très peu de notions de diététique ; je me documentais donc sur tous les régimes existants, des plus sérieux aux plus fantaisistes. Parallèlement, en étudiant l'influence de l'alimentation sur le métabolisme, je commençais à percevoir l'importance du syndrome de résistance à l'insuline dans l'apparition de l'obésité et des maladies cardiaques.

Les clefs du succès

Nous savons aujourd'hui qu'une des causes principales de l'excès de poids est l'incapacité de l'insuline à traiter convenablement les graisses et les sucres. C'est ce que l'on appelle la résistance à l'insuline, qui fait que le corps stocke plus de graisses qu'il ne devrait, tout particulièrement au niveau de l'abdomen. Depuis la nuit des temps, l'*Homo sapiens* est programmé pour stocker des réserves en cas de famine.

Les famines ont aujourd'hui disparu, tout du moins dans les pays industrialisés où nous sommes perpétuellement en période d'abondance. Nous stockons pourtant plus que ce dont nous avons besoin, d'autant que nous faisons beaucoup moins d'exercice que nos ancêtres. Nos excès de poids proviennent essentiellement d'une alimentation à base de produits industriels que nous consommons en grande quantité, principalement des glucides raffinés : féculents tout préparés, pain blanc, viennoiseries, gâteaux, etc. Toutes les fibres présentes naturellement dans ces aliments étant éliminées lors de leur préparation, leur assimilation par notre organisme n'est plus du tout la même. Les préparations industrielles ont transformé les bons nutriments en mauvais aliments.

Toutes les études l'ont abondamment démontré, réduire la consommation de ces « mauvais » glucides fait diminuer la résistance à l'insuline. La perte de poids commence rapidement et le métabolisme des glucides

22

s'améliore. Dès lors que l'on ne consomme plus ces «mauvais» glucides, l'appétence pour ce genre d'aliment disparaît. Dans le même temps, les taux de triglycérides et de cholestérol retrouvent un niveau normal.

Compte tenu de ces données, la première règle de mon régime est donc d'autoriser tous les «bons» glucides (fruits, légumes, céréales complètes) et d'interdire les «mauvais» (tous les produits industriels dénués de fibres). C'est la principale différence avec un autre régime célèbre, celui du docteur Atkins. Celui-ci élimine pratiquement tous les glucides, l'essentiel de l'alimentation étant constitué de protéines. Le régime Atkins permet aussi de consommer à volonté des graisses saturées, celles que l'on trouve dans la viande rouge ou dans le beurre, par exemple. On sait aujourd'hui que les graisses saturées en excès sont dangereuses car susceptibles de provoquer des infarctus, ce qui n'a pas dissuadé des millions de personnes d'adopter ce régime. Ce qui n'inquiète pas un nutritionniste peut toutefois alarmer un cardiologue. Perdre du poids au prix d'une forte augmentation de son taux de cholestérol n'est jamais une bonne chose.

Le régime que je préconise supprime certains glucides, mais pas tous ; en fait, il faut favoriser les «bons» glucides. La farine et les pains blancs, les sucres raffinés, par exemple, sont interdits ; en revanche, les pains complets, les céréales et les pâtes complètes sont autorisés, de même que nombre de fruits et de légumes. Les bienfaits de ces aliments, en particulier leur haute teneur en fibres, ne sont pas les seules raisons qui m'ont conduit à les intégrer dans le régime Miami. En pratique, peu de gens sont capables d'abandonner définitivement les fruits, les légumes, les pâtes et le pain, même s'ils peuvent manger autant de beurre, de viande et de fromage qu'ils le désirent. Il est normal d'avoir envie de pain, de pâtes ou de riz : un régime qui n'en tient pas compte est impossible à suivre sur le long terme.

Pour compenser les glucides interdits, mon régime autorise les protéines animales et certaines matières grasses. Cela semble en contradiction avec les régimes classiques destinés aux cardiaques, basés sur la suppression totale et permanente des matières grasses. Dans la pratique, ces régimes sont difficiles, voire impossibles à suivre. Mon régime, qui autorise le bœuf, le porc, le veau et l'agneau, pourvu qu'ils soient maigres, est plus réaliste.

On sait aujourd'hui qu'il est inutile de supprimer les protéines animales de notre alimentation, car la viande maigre n'augmente pas le taux de cholestérol sanguin. On peut même consommer sans danger des jaunes d'œufs, contrairement à ce que l'on a longtemps cru. Excellente source de vitamine E, le jaune d'œuf n'a aucun effet, voire un effet favorable, sur le rapport bon cholestérol/mauvais cholestérol, qui est le facteur à prendre en compte. Le poulet, la dinde et les poissons (en particulier les poissons gras tels que le saumon, le thon et le maquereau) sont également recommandés, ainsi que les noix, les noisettes et les amandes, les fromages et les yaourts maigres. En règle générale, les plats allégés sont à éviter, car les matières grasses y ont été remplacées par des glucides qui, eux, font prendre du poids. Les produits laitiers maigres (lait écrémé, yaourt à 0 %, fromage maigre) font exception : ils sont nourrissants et ne font pas grossir.

Mon régime comprend aussi des matières grasses riches en lipides mono- et polyinsaturés : huiles d'olive, de colza, d'arachide. Toutes sont excellentes pour la santé, et contribuent même à prévenir les incidents cardio-vasculaires. Ces matières grasses permettent de véritablement cuisiner les aliments, ce qui est toujours plus agréable. Très nourrissantes, elles évitent par ailleurs les fringales entre les repas.

J'ai testé ce régime sur un homme d'âge mûr, qui avait tendance à prendre du ventre : à savoir moi-même ! J'ai donc renoncé au pain, aux pâtes, au riz et aux pommes de terre. Plus de bière, non plus. Pas de fruits, du moins les premiers jours, car les fruits contiennent du fructose, un glucide. J'ai tout de même continué à prendre trois repas par jour, plus quelques collations quand j'en éprouvais le besoin.

Au bout d'une semaine, j'ai mesuré toute l'efficacité de mon régime : j'avais perdu 4 kilos sans effort. Sans avoir eu l'impression de me priver vraiment, sans fringales, sans envies dévorantes de quoi que ce soit.

J'ai alors fait part de cette première expérience au docteur Marie Almon, la responsable du service de diététique de notre établissement, l'hôpital du Mont-Sinaï à Miami. Elle a reconnu bien volontiers que le régime sans matières grasses que nous prescrivions à nos patients était inefficace. Partant des principes que j'avais expérimentés, nous avons donc décidé de finaliser un régime efficace, agréable et facile à suivre : le régime Miami.

Un régime réaliste

Il ne fallait évidemment pas tomber dans les travers des régimes précédents, si rigides et compliqués qu'ils en devenaient impossibles à observer. Le meilleur régime du monde, sur le plan diététique comme sur le plan médical, n'est d'aucun effet s'il ne tient pas compte du mode de vie des patients, qui ne se réduisent pas à des tubes digestifs.

Il s'agissait donc de composer un régime aussi simple que possible, avec un minimum de contraintes. Ce régime ne devait pas trop changer les habitudes alimentaires, car perdre du poids et réduire ses taux de cholestérol et de triglycérides ne se font pas en un jour. Par ailleurs, on ne cherche pas à maigrir pour trois mois ou un an, mais pour le restant de ses jours. Vous serez sûr de réussir quand vous passerez de la phase «régime» à la phase «hygiène de vie». C'est facile avec le régime Miami.

Pour suivre un régime sur le long terme, et acquérir de nouvelles habitudes alimentaires, il faut absolument prendre du plaisir en mangeant. En d'autres termes, s'accorder quelques gourmandises. D'une manière générale, les régimes des nutritionnistes ne prévoient aucun écart : on doit s'en tenir à la prescription, un point c'est tout. Comme si l'être humain était une mécanique infaillible, totalement dépourvue de faiblesses. Si on ne dit pas comment rattraper un petit écart ou faire passer une envie de dessert, le meilleur régime échoue à coup sûr. D'une inévitable petite entorse au régime, on passe à une plus importante, puisque la première a semblé a priori sans conséquences. Et très vite, on triche un peu tous les jours. Naturellement, le régime ne donne pas les résultats escomptés, ce qui ôte l'envie de le poursuivre. On se retrouve ainsi à la case départ, découragé, quand ce n'est pas totalement déprimé.

Le régime Miami permet de satisfaire beaucoup de gourmandises : il comporte d'ailleurs de nombreuses recettes de desserts, soigneusement mises au point. Tous ces délicieux desserts ne contiennent en fait que des ingrédients autorisés. Et pour ceux qui craquent un jour pour une glace ou une pâtisserie – en ce qui me concerne, c'est plutôt pour le chocolat –, rien n'est perdu. Le régime Miami, avec ses trois phases, permet de rattraper les excès en passant instantanément d'une phase à l'autre. Un exemple : vous êtes en phase 2 et en vacances, avec des amis, au restaurant ou pendant les fêtes, vous vous laissez un peu aller sur les desserts. Il vous suffit de repasser quelques jours, voire une semaine, en phase 1 pour perdre le poids regagné. Vous pouvez ensuite reprendre la phase 2.

Indépendamment des petits excès que nous commettons tous un jour ou l'autre, il faut que le régime soit simple, pour être vraiment suivi. Bien des régimes sont très compliqués, sans que ce soit justifié par l'état actuel de nos connaissances en matière de nutrition. Il n'est pas réaliste d'imposer la préparation de menus complexes, la prise de compléments alimentaires à heures précises, l'absorption de tel ingrédient uniquement associé à tel autre, etc. Un régime qui attache à son réfrigérateur, à son armoire à médicaments ou à son livre de recettes est voué à l'échec. Manger, et donc vivre normalement, c'est préparer un repas avec des ingrédients que l'on trouve au supermarché du coin, c'est aussi pouvoir aller au restaurant quand on en a envie. C'est s'accorder une collation entre les repas, que l'on puisse glisser dans sa serviette et sortir facilement n'importe où. C'est manger sans compter les calories, les glucides, les lipides, ou peser ses aliments.

Le point essentiel, dans le régime Miami, c'est de consommer les bons glucides et les bons lipides. Une fois que ce point est acquis, les quantités d'aliments et leurs proportions se régulent toutes seules : on n'a jamais faim en suivant ce régime.

J'ai tenu à ce que ce régime soit efficace en l'absence de toute dépense physique. Entendons-nous bien, je ne nie pas les bienfaits du sport : excellent pour le cœur, il accélère le métabolisme et multiplie l'efficacité du régime. On maigrit plus et plus vite en faisant régulièrement de l'exercice ; mais on maigrit tout de même avec le régime Miami sans jamais faire de sport.

C'est le bon sens allié à une longue pratique médicale, et non quelques connaissances en nutrition vite transformées en titre de diététicien, qui m'a guidé pour mettre au point ce régime. J'ai voulu proposer à mes patients un remède au véritable problème de santé qu'est devenue aujourd'hui l'obésité. J'ai ensuite jugé son efficacité au vu des résultats obtenus.

Mon régime Miami

Karen : « J'ai perdu 15 kilos...
et je ne les ai pas repris. »

J'ai quitté l'Arizona pour revenir à Miami juste
après mon divorce. Après un divorce, on revoit des gens
qu'on avait perdus de vue depuis bien longtemps, on
fait aussi de nouvelles rencontres. Les 15 kilos accu-
mulés en trente ans de mariage, et dont on ne se sou-
ciait plus, vous sautent alors brutalement à la figure.

J'avais déjà essayé pas mal de régimes, il y a
quelques années de cela. Le problème, c'est que je ne
supporte pas d'avoir faim ; c'est pour moi une sensation trop désagréable. Le régime Miami, que j'ai
découvert dans un journal, permettait tout simplement
de manger tant que l'on avait faim, en faisant de véritables repas.

Plus que les sucreries, mon point faible, c'étaient les
féculents : les frites, les chips, les biscuits salés, le pop-
corn. Au supermarché, la première chose que j'achetais, c'était un sac de pop-corn que je grignotais en
faisant les courses, et qui arrivait régulièrement vide à
la caisse. Pas de cinéma sans pop-corn non plus, sucré
celui-là. Pour mon mari, pas de dîner sans une entrée,
une viande, des légumes, des pommes de terre, du pain
(indispensable, nous en mangions donc tous les jours).
Au restaurant, je me sentais privée s'il n'y avait pas de
pain et de beurre sur la table. Dans mes régimes passés, on m'expliquait que je pouvais manger du pain,
mais sans beurre. Dans le régime Miami, on peut manger du beurre, mais pas de pain. Ou alors du pain complet, avec de l'huile d'olive plutôt que du beurre.

Les premières semaines, pendant la phase 1, ça n'a pas été facile. J'ai dû me priver de tout ce que j'adorais : le pain, les pommes de terre (et les frites !), le riz, les pâtes… C'était un peu difficile, mais je ne me sentais pas vraiment mal, plutôt un peu en dehors de moi-même ; j'avais l'impression d'évacuer tout ça de mon corps. Je n'avais pas de sensation de faim, mais j'avais très envie de tout ce qui m'était interdit.

Aujourd'hui, je n'ai plus ces sensations. Les envies de frites ou de pop-corn sont passées, je n'y pense même plus. J'ai plutôt envie de bonnes salades, et je peux m'en préparer de délicieuses avec de véritables assaisonnements, et non avec ces horribles vinaigrettes de régime.

Quand elle a vu le poids que je perdais, ma mère a tout de suite commencé le même régime. À quatre-vingt-un ans, elle souffrait d'embonpoint et son taux de cholestérol était beaucoup trop élevé. Au bout de deux semaines, elle se plaignait d'être affamée en permanence. Je lui ai expliqué qu'elle devait manger quand elle en avait envie ; et que lorsqu'elle avait une petite faim, elle pouvait manger un morceau de fromage, par exemple. Dans son esprit, suivre un régime impliquait automatiquement d'avoir faim. En continuant à manger, elle a perdu près de 8 kilos, ce qu'elle n'était jamais parvenue à faire.

Pour moi, ce régime a été une véritable renaissance. Je vis très bien avec, pratiquement sans tricher. J'ai supprimé totalement les pâtes et le riz (je n'aime pas le riz complet, le seul auquel j'ai droit…). Plus de pommes de terre, sauf des patates douces cuites au four ; et encore, pas trop souvent. Plus de sucreries, naturellement. Comme j'adore toujours le pain, je l'ai conservé ;

pas tous les jours, deux ou trois fois par semaine seulement, et jamais de pain blanc. Uniquement du pain complet ou du pain de seigle, en m'assurant toujours qu'ils ne contiennent pas de farine blanche, car beaucoup de pains dits « de seigle » sont en fait préparés avec de la farine de blé, surtout ceux vendus en grande surface.

Ce qui me plaît beaucoup dans ce régime, c'est que l'on peut aller dans n'importe quel restaurant sans souci. Partout, on peut se faire servir une salade composée, qu'elle soit à base de viande, de poisson ou de fromage. Les volailles, les viandes et les poissons rôtis sont excellents, dès lors qu'ils ne sont pas accompagnés de féculents. Au restaurant, on peut toujours demander un changement de garniture. Dans les restaurants italiens par exemple, je commande des escalopes de veau sans chapelure, mais avec de la tomate et du parmesan. Avec les grillades, je mange des légumes verts, tout en y ajoutant du beurre, mais sans excès. Je peux également reprendre de la salade et du fromage sans faire d'entorse au régime !

J'ai commencé le régime Miami il y a trois ans. J'ai perdu rapidement 15 kilos, et ne les ai jamais repris. Je me sens vraiment mieux dans ma peau. Je mets à présent du 42, et ça me va très bien. Je perdrais bien 5 kilos de plus, mais je ne veux pas en faire une obsession. Avant, je m'habillais en 50, donc dans un magasin spécialisé en grandes tailles. Et croyez-moi, ce n'est pas drôle...

3

Petite histoire des régimes modernes

Il existe tellement de régimes amaigrissants que l'on s'y perd. Une mode chassant l'autre, on préconise tantôt les basses calories, tantôt le régime sans lipides, puis avec lipides mais sans hydrates de carbone, la diète protéinée, les régimes dissociés, ceux qui au contraire associent les aliments en fonction des repas. Pour obtenir des résultats avec un régime, il faut comprendre pourquoi il est efficace, ce que je vais vous expliquer. Rappelons tout d'abord l'historique des régimes amaigrissants actuels.

Après la Seconde Guerre mondiale, les cardiologues commencèrent à s'intéresser globalement à la diététique, à la suite des travaux d'un pionnier dans ce domaine, Ansel Kay, professeur à l'université du Minnesota. En comparant la fréquence des maladies cardio-vasculaires dans différents pays, où les habitudes alimentaires étaient très différentes, il observa que les populations qui consommaient peu de lipides ne connaissaient pratiquement pas de troubles cardiaques. Ce constat, en grande partie exact, a orienté depuis les travaux de la plupart des médecins et des nutritionnistes.

Malheureusement, l'équation : «pas de lipides = bonne santé» n'était pas tout à fait juste, en particulier pour ce qui concerne les cardiaques. Il nous a fallu de nombreuses années pour nous en rendre compte.

En compilant ses observations, Kay avait constaté une exception : en Crète, les maladies cardio-vasculaires étaient très rares alors que les habitants de l'île consommaient beaucoup de lipides. Ce paradoxe allant à l'encontre de tout le reste de son étude, il n'en tint pas compte. Cette décision malheureuse allait être lourde de conséquences.

C'est en effet en se basant sur les études de Kay que les médecins commencèrent à recommander des régimes pauvres en matières grasses. On ne fit aucune étude sur les effets de ces régimes sur le long terme, au motif qu'elles auraient été trop longues et trop chères. Il est vrai que l'incidence de l'alimentation sur l'état du système cardio-vasculaire est difficile à mesurer (l'athérome, par exemple, se développe souvent pendant des dizaines d'années avant de poser de réels problèmes).

À l'instar du «politiquement correct», le «diététiquement correct», à l'époque, c'était donc de manger allégé. Dans les années 1970, la commission sénatoriale Mc Govern, initialement chargée de remédier à la malnutrition, commença à s'intéresser à la suralimentation des Américains. Les sénateurs avaient une idée préconçue : les matières grasses étaient par définition mauvaises. Leur consommation était donc la source de tous nos maux, singulièrement de l'obésité croissante dans le pays, et des maladies cardiaques qui en découlaient. Ceux qui n'étaient pas de cet avis devaient être vendus aux lobbies de la viande ou des produits laitiers. Ainsi en l'absence de toute étude sérieuse, le régime allégé en matières grasses devint la règle dans la plupart des pays.

Glucides ou lipides : le grand débat

Depuis vingt ans que l'on préconise de manger allégé, l'obésité a crû de manière effrayante. Le diabète gras, indicateur infaillible du mauvais état du système cardio-vasculaire, s'est développé dans les mêmes proportions. Comment en sommes-nous arrivés là ?

Tout d'abord, nous avons pris pour exemple les Chinois et les Japonais qui consomment peu de matières grasses et ne souffrent pas, ou très peu, de maladies cardiaques. On a pensé qu'en mangeant comme eux, on se porterait aussi bien qu'eux. La différence est que nous ne mangeons pratiquement que des aliments industrialisés, au contraire des Asiatiques. Les industriels de l'agroalimentaire se sont donc précipités sur le créneau du «0 % de matières grasses», un argument publicitaire imparable. Rivalisant d'ingéniosité, ils ont mis au point de plus en plus d'aliments allégés de toutes sortes, souvent très bons d'ailleurs. Jusqu'aux confiseries et aux pâtisseries «0 %», garanties sans cholestérol. Malheureusement, tous ces produits sont dépourvus de sels minéraux et de fibres alimentaires, ce qui leur ôte tout intérêt. Les légumes et les céréales, à l'état naturel, contiennent autant de fibres que de glucides. En mangeant du riz complet, par exemple, on absorbe toutes les fibres et les sels minéraux du riz qui est un excellent aliment. Le riz blanc, lui, a subi un traitement destiné à en ôter les fibres, pour faciliter sa préparation. Il cuit certainement beaucoup plus vite et ne colle pas, mais ses nutriments essentiels et ses fibres ont complètement disparu. Il ne reste plus que l'amidon, un glucide pur. On a très bien défini ces aliments en parlant de «calories vides».

La deuxième erreur a été de considérer tous les glucides «complexes», appelés «glucides lents» (le pain, les pâtes, le riz), comme autant de bons aliments. On pouvait en consommer à volonté en restant mince et en bonne santé, le seul inconvénient du sucre étant de favoriser l'apparition de la carie dentaire. La viande, en revanche, était chargée de tous les maux, donc à éviter.

Nous avons beaucoup appris depuis. À l'époque d'Ansel Kay, on ne mesurait pas l'importance du rôle des fibres alimentaires dans nos régimes. Dans les années 1970, on a constaté qu'elles favorisaient largement le transit intestinal, mais c'était tout. En 1980, Kay, résumant ses travaux, avouait qu'il n'avait pas pris en compte les fibres dans l'alimentation mais qu'il était «possible» qu'elles aient un effet important sur le plan diététique !

Les États-Unis et l'Europe du Nord, gros consommateurs de lipides, sont aussi les pays les plus touchés par les maladies cardio-vasculaires. Ce sont par ailleurs les pays qui consomment le moins de fibres alimentaires, absentes de leurs glucides et donc de leur alimentation. Les habitants de pays moins développés, qui ont un régime pauvre en matières grasses et riche en glucides, consomment de grandes quantités de fibres alimentaires avec leurs glucides, qui ne sont pas issus d'aliments industrialisés. Dans les années 1990, le professeur Willet, de l'Institut de nutrition de Harvard, a établi le rapport entre la consommation de fibres alimentaires et la fréquence des maladies cardiaques. Il a constaté que l'absorption de grandes quantités de fibres (céréales et légumes naturels non traités) protégeait des effets nocifs de la plupart des lipides. Seuls les lipides saturés restent dangereux, et encore, bien moins que lorsqu'on consomme peu de fibres.

Quand les médecins ont commencé à prescrire des régimes sans matières grasses, la plus grande partie des lipides que nous consommions étaient de «mauvais» lipides, c'est-à-dire des matières grasses saturées. On connaissait mal, à l'époque, les effets des lipides insaturés, les «bonnes» matières grasses (l'huile d'olive, la graisse des poissons gras, l'huile d'arachide, etc.). Les médecins, ne faisant pas vraiment la différence entre lipides saturés et insaturés, conseillaient à leurs patients de réduire toutes les matières grasses. La consommation de graisses saturées a donc baissé, et le taux moyen de cholestérol aussi.

Pourquoi, dans le même temps, les patients continuaient-ils de grossir? En mangeant moins gras, ils absorbaient moins de lipides saturés et moins de lipides insaturés, ce qui faisait baisser leur taux de mauvais cholestérol (LDL), mais aussi leur taux de bon cholestérol (HCL), celui qui protège des maladies cardio-vasculaires. Leur taux de triglycérides, lui, ne baissait pas pour autant; et l'on sait que les triglycérides, directement liés au surpoids, favorisent aussi l'artériosclérose.

Au bout du compte, nous avons beaucoup appris sur les effets des glucides et des lipides sur la santé en considérant leurs effets sur la prise de poids. À poids égal, les lipides sont plus caloriques que les glucides, nous le savons tous. Nous en avons donc déduit que les lipides faisaient plus grossir que les glucides, ce qui est faux ; c'est même peut-être le contraire. Quand on mange des lipides, on est rapidement rassasié, on s'arrête donc de manger. Les glucides raffinés, c'est-à-dire dépourvus de fibres alimentaires, provoquent instantanément une augmentation du taux de sucre dans le sang. On a donc faim après avoir mangé, on mange alors encore plus, c'est ainsi que le surpoids s'installe. Évidemment, on ne connaissait pas ces effets à l'époque où l'on prescrivait les régimes glucidiques dépourvus de matières grasses.

C'est à la fin des années 1970 que le professeur David Jenkins, de l'université de Toronto, définit la notion d'index glycémique. Celui-ci mesure l'augmentation du taux de sucre dans le sang qui résulte de l'absorption de tel ou tel aliment, et par là même la prise de poids qui va s'ensuivre. Tout le monde a été étonné de constater que certains féculents, comme le pain blanc ou les pommes de terre, élevaient plus le taux de sucre sanguin que le sucre blanc pur.

Les conseils diététiques largement diffusés dans tout le pays équivalaient donc à mettre une partie de la population au régime pur sucre ! Le développement considérable de l'obésité aux États-Unis, qui date de cette époque, prouve que l'on peut faire beaucoup de dégâts, même en étant animé des meilleures intentions.

Les régimes actuels

Qu'en est-il des régimes les plus couramment suivis depuis une trentaine d'années ? Les premiers étaient presque tous des régimes maigres, très glucidiques, dont le plus populaire était le régime Pritikin. À l'origine très restrictif sur le plan lipidique, ce régime a été quelque peu adouci par son auteur, qui autorise désormais quelques matières grasses insaturées. Pritikin a consacré sa vie à la prévention des maladies cardiaques, notamment en préconisant l'exercice. Il faut d'ailleurs reconnaître qu'il a obtenu de très bons résultats. Son régime implique cependant un tel investissement personnel qu'il est bien difficile à suivre. Par ailleurs, la très forte proportion de glucides qu'il comporte peut entraîner chez certains patients une augmentation des taux de cholestérol et de triglycérides. Le régime Pritikin n'est donc pas destiné à tout le monde.

En 1972, Robert Atkins publia *La Révolution diététique*, qui prenait le contre-pied de tous les régimes existant à cette époque. Son régime riche en graisses saturées et totalement dépourvu d'hydrates de carbone provoqua aussitôt un tollé au sein du corps médical. Les critiques furent rapidement mises en sourdine, tant la formule d'Atkins devait se révéler efficace : beaucoup plus en tout cas que les régimes glucidiques alors couramment prescrits.

Atkins supprime totalement les glucides de l'alimentation, de manière à ce qu'au bout de quelques jours, le corps brûle ses propres graisses pour fonctionner normalement : c'est ce que l'on appelle la cétose, un état qui ne pose pas de problème aux patients par ailleurs en bonne santé. Les insuffisants rénaux et les patients sous hypotenseurs risquent quelques problèmes, la cétose provoquant souvent une légère déshydratation. Les dangers de la cétose ont toutefois été largement exagérés.

À mon sens, le problème que pose le régime Atkins est plutôt celui des lipides saturés, qui sont autorisés sans limitation. On sait aujourd'hui que l'absorption de ce type de matières grasses provoque des dysfonctionnements vasculaires (constriction des artères, formation de caillots – tout particulièrement dans les artères coronaires). À la limite, en suivant strictement le régime Atkins, on peut risquer une crise cardiaque après un repas particulièrement riche en lipides saturés ! Ceux-ci affectent par ailleurs la composition du sang sur le long terme, ce qui n'est jamais bon pour la santé. À la décharge d'Atkins, il faut préciser que toutes ces données sur les lipides saturés, qui nous sont aujourd'hui familières, étaient inconnues à l'époque.

Rien de tout cela ne se passe quand on s'en tient aux graisses insaturées. Il s'agit des «bons lipides» dont la consommation est autorisée, et même conseillée, dans le régime Miami. Les bons lipides permettent de cuisiner des plats savoureux et protègent le système cardio-vasculaire. Que demander de plus ?

Le troisième régime-vedette de cette période était celui du professeur Ornish. Assez proche du régime Pritikin, il interdit totalement les matières grasses et autorise largement tous les glucides. L'exercice physique et la relaxation font aussi partie de ce régime, qui a prouvé son efficacité sur les troubles cardio-vasculaires. Le seul problème du régime Ornish, mais il est d'importance, c'est qu'il est très contraignant et donc difficile à suivre. L'interdiction totale des matières grasses me laisse également perplexe, quand on sait que nombre de matières grasses, mono- et polyinsaturées, sont excellentes pour la santé en général et pour le système cardio-vasculaire en particulier. Pourquoi s'en priver, quand on sait que l'utilisation de matières grasses permet de préparer une cuisine vraiment savoureuse ?

Les glucides de toutes sortes, que l'on peut consommer sans restriction dans ce régime, risquent aussi de rendre les patients diabétiques, comme nous l'avons vu précédemment. Quand on sait qu'un quart de la population des pays industrialisés est prédisposée au diabète gras et que la moitié des victimes de crises cardiaques en sont affectées, la question n'est pas anodine. Ornish a mis au point son régime à une époque où l'on ignorait les effets des «mauvais glucides»; il préconise aujourd'hui la consommation d'aliments riches en fibres. Est-ce un hasard ?

Je connais personnellement Robert Atkins et Dean Ornish, et je les admire tous les deux. Ils n'ont pas hésité à remettre en question les dogmes de leur époque et ont tous deux éminemment contribué à la lutte contre l'obésité. Vivement critiqués (surtout pour leur succès !), ils n'ont jamais renié leurs idées.

Tant qu'on n'enseignera pas convenablement la diététique on ne viendra pas à bout de nos problèmes de surpoids et de maladies cardiaques. Avec ce régime, je n'ai pas l'intention de vous interdire les lipides ou les glucides, mais juste de vous apprendre quels sont les bons glucides et les bons lipides. Vous pouvez ainsi manger avec plaisir, sans vous priver, sans jamais avoir faim. En adoptant le régime Miami, vous améliorez votre santé dans l'immédiat en perdant du poids ; et sur le long terme, quand votre régime sera devenu un mode de vie, vous vous préparerez un avenir en bonne santé.

Mon régime Miami

*Hélène : « J'ai perdu 10 kilos
en deux mois et demi. »*

À l'approche de la communion de ma fille aînée, j'ai décidé de perdre du poids. Au moins 10 kilos.

Pendant longtemps, j'ai toujours pu manger tout ce qui me faisait envie sans jamais grossir. Des pâtisseries, du chocolat, que j'adore. Mes amies étaient un peu jalouses : « Comment fais-tu ? Quelle chance tu as de ne pas grossir avec tout ce que tu manges ! »

Jusqu'au jour où j'ai éprouvé un choc, quand j'ai brusquement commencé à grossir à partir de quarante ans. Je suppose que mon métabolisme avait changé. N'ayant jamais eu besoin de faire de régime, je n'y connaissais évidemment rien. Je n'avais pas du tout envie de m'astreindre à un régime très strict et compliqué à suivre ou de me nourrir de substituts protéiniques en sachets. Ce qui m'a plu dans le régime Miami, c'est que je n'ai jamais dû manger de choses que je n'aimais pas, et que je n'ai jamais eu faim.

Au tout début, le plus difficile a été de supprimer les fruits et les jus de fruits, que j'adore. En plus, à la maison, les enfants goûtent tous les jours, avec des glaces et des petits gâteaux, et évidemment je mangeais une glace ou un gâteau avec eux.

Je n'étais pas du tout sûre de tenir le coup. Quand on m'interdit un aliment, il me fait encore plus envie... Mais en pratique, ça s'est très bien passé. Mon mari a décidé de faire le régime avec moi, et c'est devenu une sorte de compétition entre nous. On se pesait tous les jours, même si on n'était pas censés le faire.

Ce qui est très encourageant avec ce régime, c'est que l'on perd du poids dès les premiers jours, et que l'on se sent donc tout de suite mieux. On peut se faire plaisir avec des crustacés ou une belle grillade accompagnée de légumes, sans trop se limiter. Je n'ai pas trop souffert d'abandonner les sucreries, car je n'en ai plus eu envie assez rapidement. Quand j'ai faim, je mange un blanc de poulet ou un morceau de fromage. Sans pain, naturellement. Mon mari ne pouvait pas se passer de pain, et au restaurant, à peine assis, il piochait dans la corbeille. Aujourd'hui, nous demandons que l'on n'apporte pas de pain sur la table, pour ne pas être tentés.

J'ai fait le régime pendant dix semaines et j'ai perdu 10 kilos. Je devais rester deux semaines en phase 1, mais je l'ai légèrement prolongée (même la phase 1 n'est pas trop difficile à suivre). Je voulais être sûre d'être au poids que je m'étais fixé pour la communion de ma fille.

Je suis maintenant en phase d'entretien, mais je ne la suis pas vraiment à la lettre. Je n'ai plus de fringales ou d'envies de sucreries. Je n'ai même plus envie de glaces, alors que j'en mangeais tous les jours. En guise de sandwich, j'enveloppe le poulet ou le jambon dans une feuille de laitue. Quand il me reste du steak, je l'émince et le mélange avec une salade verte, c'est délicieux.

Avant de commencer ce régime, je sautais souvent le petit déjeuner ; maintenant, je mange régulièrement, en général un œuf et du jambon, et la matinée se passe toute seule, sans petites faims. Avant, sans petit déjeuner, je finissais par manger tous les petits gâteaux que je trouvais. J'en mange toujours mais seulement de temps en temps. Et pas d'autres sucreries.

4

Une journée de régime

J'ai décrit rapidement la manière dont se passaient les premières semaines du régime Miami. Voyons maintenant plus en détail le déroulement d'une journée.

Commençons par le début, à savoir le premier jour de la phase 1. Vous vous êtes sans doute offert un dîner mémorable la veille au soir ! Il sera sans conséquences, car les envies de sucre induites par ce genre de repas sont arrivées pendant la nuit. Le matin, votre taux de sucre dans le sang doit être à peu près satisfaisant. Il s'agit à présent de ne pas le faire monter, ce qui implique de ne pas absorber de mauvais glucides.

Le petit déjeuner sera donc composé d'une omelette (deux œufs) au jambon ou au bacon maigre, cuite dans une poêle très légèrement huilée (huile de colza). Évidemment, vous allez avoir envie de pain avec l'omelette. Dites-vous bien que si vous n'y pensez plus, vous n'aurez pas d'envie *physique* de pain. Ce petit déjeuner sera le premier test de votre nouveau régime. Il vous

43

faudra sans doute quelques jours pour vous déshabituer de votre ration quotidienne de glucides, mais c'est un point important. Votre corps ne métabolise pas convenablement les sucres et les amidons, c'est ce problème qui est à la source de la plupart des prises de poids. En phase 1, il s'agit de corriger cela, en supprimant de l'alimentation tous les mauvais glucides et en ne consommant que les bons, les plus riches en fibres et les plus pauvres en sucres et en amidon. Les glucides de la phase 1 seront donc uniquement des légumes (pas tous) et des salades, pendant deux semaines au moins.

Le petit déjeuner de ce premier jour, combinaison de protéines (les œufs et le bacon maigre) et de bons lipides (l'huile de colza et le bacon, qui doit être bien dégraissé) va vous rassasier pendant quelque temps, car il est assez long à digérer. Vous n'aurez donc pas de creux en fin de matinée.

J'ai pris comme exemple l'omelette au bacon maigre, mais vous pouvez remplacer le bacon par quelques pointes d'asperges, du poivron grillé, des bouquets de brocolis, des champignons émincés : autant de bons glucides, riches en fibres alimentaires. Une omelette au jambon ou au fromage (maigre) aurait aussi bien fait l'affaire.

Avec votre omelette, vous pouvez boire du café ou du thé, avec du lait écrémé et un édulcorant (il en existe de nombreux sur le marché, l'aspartam étant le plus répandu). Certains régimes conseillent de supprimer le café, la caféine ayant parfois tendance à donner des fringales. Pour ma part, je pense que vous avez à assimiler suffisamment de changements dans votre alimentation pour ne pas vous priver en plus de votre café matinal.

J'ai constaté que nombre de mes patients en surpoids ne prenaient pas de petit déjeuner, surtout les femmes. Pas tant pour éviter de prendre des calories que parce qu'ils disent n'avoir pas faim le matin, en tout cas pas envie de manger. Le problème, c'est qu'à jeun, le taux de sucre dans le sang baisse tout au long de la matinée : on arrive au déjeuner avec une faim terrible, que l'on assouvit en général en se précipitant sur du pain, des pâtes, des pommes de terre, bref, tout ce qu'il faut éviter quand on cherche à perdre du poids. Donc, prenez un petit déjeuner consistant, vous maigrirez mieux.

Organiser ses repas

Dans la seconde partie de ce livre, nous avons établi un programme quotidien détaillé, avec des recettes variées pour chaque repas. Vous verrez que le choix des aliments est étendu, même pour les petits déjeuners de la phase 1. Vous pouvez par exemple manger une frittata au saumon fumé ou un flan de légumes composé d'œufs et d'épinards, très pratique parce qu'on peut le préparer à l'avance et le réchauffer au micro-ondes au dernier moment. On peut consommer régulièrement des œufs en suivant le régime Miami, ce qui va peut-être vous inquiéter, car les œufs ont la réputation de donner du cholestérol. On sait aujourd'hui que le jaune d'œuf ne contient pas de matières grasses saturées, et qu'il élève de la même manière les taux des deux cholestérols, le bon comme le mauvais. C'est aussi une excellente source de protéines et de vitamine E naturelle. On peut donc manger des œufs. Dans la phase 2, on commencera à réintroduire des glucides au petit déjeuner :

du pain complet et même des gâteaux faits à partir de farine complète, des céréales riches en fibres, des fruits.

Après le petit déjeuner, prévoyez toujours une collation vers 10 h 30, même si vous n'en éprouvez pas le besoin. Une part de mozzarella maigre, par exemple, est pratique à transporter. Les seuls produits à 0 % de matières grasses que je conseille sont les yaourts et les fromages, car ce sont les seuls dans lesquels les matières grasses ne sont pas remplacées par de mauvais glucides. Ils ne contiennent que du lactose, un glucide admissible dans le cadre de ce régime. On trouve maintenant cette mozzarella maigre en grandes surfaces. Savoureuse et nourrissante, elle supprime rapidement la sensation de faim : vous pouvez tenir jusqu'au déjeuner sans y arriver totalement affamé.

Pour déjeuner, mangez une salade composée : salade verte, tomates, poulet ou poisson, assaisonnée d'une vinaigrette à base d'huile d'olive. Buvez de l'eau ou une boisson sans sucre. Vous pouvez préférer des gambas grillées accompagnées de légumes verts, des tomates farcies au thon, une salade niçoise. Toutes ces recettes sont faciles à préparer chez soi. Aujourd'hui, on peut aussi manger équilibré au restaurant, où l'on sert de plus en plus de plats légers, en tout cas dépourvus de féculents. Vous pouvez par ailleurs demander un changement de garniture. Ne vous limitez pas sur les quantités. Dans ce régime, l'essentiel consiste à choisir les bons aliments. Manger est un des plaisirs de l'existence, bien manger est un plaisir sain. Et si vous mangez bien tous les jours, vous pouvez faire un petit écart de temps en temps sans conséquences.

Vous voyez maintenant les principes qui président au régime Miami : il s'agit de s'en tenir aux protéines, aux bons lipides et aux bons glucides. En gardant ces notions à l'esprit, on peut composer des repas tout à fait normaux, avec des produits que l'on trouve partout, et manger à sa faim tous les jours. La seule suppression des mauvais glucides rétablit votre métabolisme et vos paramètres sanguins. Vous remarquez que dans ce régime on ne compte pas les calories, ni les quantités de matières grasses. On ne pèse pas non plus les portions. La vie est assez compliquée pour que l'on n'ait pas à analyser et peser tout ce que l'on mange. Si vous vous en tenez aux bons aliments, ne vous souciez pas trop des quantités que vous mangez, car les protéines et les matières grasses rassasient beaucoup mieux que les glucides. Vous ne vous imaginez pas grignotant des cubes de viande toute la soirée devant la télévision ? Pourtant, on le fait couramment avec des chips ou des petits gâteaux…

Quand vous aurez terminé la lecture de ce livre, vous saurez précisément quels aliments vous pouvez manger sans restriction, ceux que vous pouvez manger de temps à autre et ceux qui vous sont interdits. Vous connaîtrez les mécanismes de l'assimilation des aliments, ce qui n'a pas seulement un intérêt théorique, mais vous permet de comprendre pourquoi le cholestérol et les triglycérides montent ou baissent, pourquoi on grossit ou on maigrit. Et vous serez ainsi en mesure de maîtriser votre poids et de préserver votre santé.

À partir du moment où vous connaissez l'action des aliments sur votre métabolisme, il vous est facile de choisir ceux qui vous font perdre du poids, puis ceux qui ne vous le font pas reprendre. Et si vous faites quelques entorses au régime, comme cela arrive toujours tôt ou tard, vous saurez comment y remédier.

L'index glycémique des différents aliments, une notion essentielle, est expliqué précisément en pages 69-70. Vous découvrirez en parcourant cette liste les aliments à éviter et ceux qui permettent de bien se nourrir sans jamais grossir. Une fois ces bases acquises, vous pourrez cuisiner chez vous ou manger au restaurant sans plus vous soucier de suivre strictement le régime.

Changer de mentalité

Nous sommes maintenant en milieu d'après-midi, une heure à risque pour qui est au régime. Votre taux de sucre dans le sang a baissé, et vous avez une petite faim, ce qui est tout à fait normal. Au bureau, c'est l'heure où l'on file à la cafétéria chercher un gâteau ou une barre chocolatée. Essayez plutôt des amandes en guise d'en-cas, des amandes toutes simples, ni salées, ni fumées. Les amandes, riches en protéines et en bonnes matières grasses, calment la sensation de faim. N'en mangez toutefois pas trop : une quinzaine d'amandes représentent une bonne collation. Vous pouvez préférer des noix de cajou (une quinzaine aussi) ou des pistaches (une trentaine). Les pistaches ont ceci de bien qu'il faut les décortiquer, ce qui prend un peu de temps et en fait donc un en-cas plus appréciable.

Il faut maintenant songer au dîner. Le régime Miami correspond aux tendances actuelles de la bonne cuisine : on mange aujourd'hui de plus en plus de viandes maigres, de poissons, de légumes frais. En phase 1, on peut se préparer du saumon grillé au citron, des aubergines rôties et une salade, du poulet au vinaigre balsamique, du rumsteck à l'origan, des champignons farcis aux épinards. Un menu de ce genre ne déparerait pas au restaurant. Et nous sommes en phase 1, l'étape la plus stricte du régime ! Vous verrez plus loin que la plupart des recettes de la phase 1 sont à base de viande de bœuf maigre, de volailles ou de poissons, accompagnés de salades et de nombreux légumes frais.

Cela peut paraître paradoxal, mais je vous conseille vivement de terminer votre dîner par un dessert. Après le milieu d'après-midi, la soirée est le deuxième moment à risque quand on est au régime. En famille ou avec des amis, on s'installe devant la télévision, ou avec un bon livre. Les enfants sont là, les tentations aussi : on a très souvent envie de sucré après un bon dîner.

Deux types de dessert vous sont permis en phase 1 : un entremets sans sucre, à l'amande, par exemple, ou un dessert à base de ricotta. Sucré à l'édulcorant, saupoudré de cacao en poudre et d'amandes émincées, ce fromage frais constitue un délicieux dessert. Ce n'est pas un tiramisu, mais presque. En tout cas, il satisfera vos envies de sucré. On peut d'ailleurs parfumer ce dessert de multiples façons en lui ajoutant de l'extrait d'amandes, de la vanille liquide, un zeste de citron, etc.

Votre première journée de régime s'achève sur ce savoureux dessert. Avec la dernière cuillerée de ricotta, vous avez déjà commencé à éliminer vos mauvais glucides. Sachez qu'au bout de 24 heures, une analyse de sang très fine démontrerait que vos paramètres sanguins se sont déjà améliorés. Continuez le régime et jour après jour, vous allez perdre du poids – le but que vous vous êtes fixé – en améliorant votre santé – le but que je me suis fixé pour vous.

Mon régime Miami

Daniel : « Le régime le plus facile que j'ai jamais suivi. »

J'ai demandé un régime à mon médecin, en lui précisant bien que je ne voulais pas prendre de médicaments. J'étais à 132 kilos pour 1,90 m, après avoir atteint près de 150 kilos vers vingt-deux ans. Depuis, j'ai perdu du poids et en ai regagné, au rythme d'innombrables régimes. Physiquement, je suis en très bonne forme : pas de cholestérol, un pouls satisfaisant, une tension artérielle basse. J'ai tout de même l'impression de manquer d'énergie et je suis souvent un peu léthargique.

Je sors beaucoup, surtout pour dîner au restaurant. Et je me jette sur tout ce qui est mauvais pour moi : les pâtes, le pain, les pommes de terre. J'ai tendance à être un peu stressé, et plus je suis stressé, plus je mange.

Au petit déjeuner, tout va bien. À l'heure du déjeuner, je mange encore correctement. C'est dans l'après-midi que les choses se gâtent. Je commence à grignoter des petits gâteaux ou des barres chocolatées, rien de bon. Et au dîner, je mange de tout, trop de tout, même et surtout des desserts.

Au total, je mange beaucoup de sucreries et de féculents entre 16 heures et 21 heures. Et encore, quand il s'agit d'une journée « normale ». Quand j'ai beaucoup de travail, et donc beaucoup de stress, je commence à 8 heures avec des beignets et des gâteaux au petit déjeuner en pensant : « La vie est trop courte, profitons-en tout de suite. »

Depuis maintenant quatorze mois, je suis le régime Miami. J'ai l'impression d'avoir fait des centaines, voire un million de régimes avant celui-ci. J'ai eu des *résultats moyens, de très bons aussi. En fait, je n'ai aucun mal à perdre du poids. Le problème, c'est que je le regagne aussi rapidement. Je maigris donc pendant quelques mois... avant de tout reprendre.*

Avec le régime Miami, c'est différent. D'abord, il est très facile à suivre. Après la phase 1, j'ai pu réintroduire beaucoup de bonnes choses dans mon alimentation, et donc vivre pratiquement normalement. J'ai juste dû arrêter de manger des pâtes, du pain ou des pommes de terre en fin de journée, disons après 17 heures. C'est le pain dont j'ai le plus de mal à me passer ; au restaurant, je demande qu'on ne m'en apporte pas. Ce qui ne veut pas dire que je n'en ai plus mangé depuis un an. Mais à chaque fois que j'ai calé sur le pain (ou sur les pâtes ou les pommes de terre) le régime a calé aussi, et j'ai cessé de maigrir. Ces trois aliments sont à éviter absolument, du moins en ce qui me concerne.

Dans les grandes occasions, je fais une entorse au régime. Pour mon anniversaire, il y a quelques semaines de cela, nous avons dîné dans un grand restaurant italien, célèbre pour ses pâtes fraîches. J'ai mangé une assiette de pâtes à l'ail. Fabuleux. C'était mon anniversaire, si je ne me fais pas plaisir ce jour-là... J'ai aussi pris un dessert, un vrai, ce soir-là. Le lendemain, et les jours qui ont suivi, et tous les jours depuis, d'ailleurs, je n'ai mangé ni pain, ni pâtes, ni pommes de terre, ni sucreries.

Au petit déjeuner ou au déjeuner, il m'arrive parfois de manger un peu de pain. Mais jamais après le déjeuner. Finalement, je ne me sens plus privé comme avant. Cela ne veut pas dire que je n'ai pas envie de temps en temps d'un bon pain frais, surtout quand j'en vois un. Mais j'ai appris à m'en passer.

5

Les bonnes et les mauvaises graisses

Jusqu'à récemment, les matières grasses étaient toutes jugées mauvaises. On consommait en effet essentiellement des lipides saturés, donc dangereux. Les lipides insaturés ne se présentant que sous des formes liquides (huiles), les industriels ont mis au point des graisses hydrogénées, procédé qui permet d'obtenir des graisses insaturées à l'état solide avec lesquelles on fabrique nombre de gâteaux, confiseries et beignets. Malheureusement, cette transformation les rend aussi dangereuses, voire davantage, que les graisses saturées. Elles font monter le taux de mauvais cholestérol, ce qui peut provoquer des crises cardiaques.

Toutes les études récentes s'accordent à démontrer que les lipides insaturés à l'état naturel n'ont pas du tout les mêmes effets. On reconnaît de plus en plus souvent qu'ils sont en réalité bons pour notre santé. Dans les régions où l'on consomme beaucoup d'huile d'olive –

essentiellement dans le bassin méditerranéen –, les affections cardio-vasculaires sont rares.

À cet égard, l'étude la plus impressionnante est celle du Pr Lyon. Ce médecin a constitué un groupe de patients affectés par des problèmes cardiaques et en a soumis la moitié à un régime dont les lipides étaient des lipides insaturés contenant des oméga 3. Les attaques cardiaques ont baissé de 70 % dans cette partie du groupe.

De son côté, l'étude GISSI a mis en évidence les effets des lipides insaturés très riches en oméga 3, c'est-à-dire les huiles de poisson, en les conditionnant sous forme de gélules. Ces lipides font baisser considérablement la mortalité liée aux problèmes cardio-vasculaires. Plusieurs études démontrent par ailleurs que la consommation de poisson au moins deux fois par semaine a les mêmes effets. Or, les oméga 3 font cruellement défaut aux régimes alimentaires des pays occidentaux. Ces recherches ont également attiré l'attention sur la qualité des matières grasses contenues dans les noix, noisettes, amandes… Riches en lipides mono- et polyinsaturés, ces fruits sont très précieux en diététique. Ils permettent de varier les recettes, qui restent savoureuses tout en étant bénéfiques pour la santé. Ils m'ont aidé à rendre le régime Miami plaisant. Plus les études avancent, plus on trouve de « bonnes » matières grasses, qui permettent d'assouplir ce régime.

J'ai créé les recettes du régime Miami à la lumière de ces informations. J'ai communiqué à mes patients les règles du régime, une liste des aliments interdits et autorisés, des conseils diététiques et quelques recettes simples. Cela m'a permis de tester en grandeur réelle ces nouvelles données scientifiques.

À l'époque, ma priorité n'était pas de faire maigrir mes patients, mais d'améliorer leurs paramètres sanguins afin de préserver leur santé. Je voulais avant tout faire baisser les triglycérides (les graisses contenues dans le sang qui créent de sérieux problèmes quand leur taux est trop élevé) et le « mauvais » cholestérol ou LDL (low density lipoproteins). Je cherchais à faire baisser le taux de LDL dans l'absolu mais aussi par rapport au « bon cholestérol », le HDL (high density lipoproteins). J'essayais aussi de modifier un facteur que les cardiologues ne connaissaient malheureusement pas toujours bien, la taille des particules de LDL. Lorsqu'elles sont petites, elles s'accumulent sous la paroi interne des artères, provoquant un rétrécissement de leur diamètre qui mène souvent à l'infarctus. Nous savons aujourd'hui qu'un régime adapté augmente la taille des particules de ce mauvais cholestérol, ce qui empêche l'obstruction des artères. Les médecins ne tiennent en général pas compte de ce facteur, tout simplement parce que la plupart des laboratoires ne sont pas équipés pour pratiquer cette analyse. Dans un avenir proche, cet élément devrait être mesuré en même temps que le taux de cholestérol.

Mon deuxième objectif était tout de même de faire maigrir mes patients, car l'amaigrissement est un bon signe d'amélioration des paramètres sanguins. Il ne s'agissait pas pour autant d'en faire des mannequins – comme il serait pourtant de bon ton à Miami ! Les résultats obtenus, immédiats et rapides, ont toutefois prouvé l'efficacité de ce régime.

Un de mes malades, habitant aux Bahamas, est venu me consulter en très mauvaise condition. Son taux de triglycérides était élevé, son taux de mauvais cholesté-

rol aussi, avec des particules de LDL de petite taille :
tous les facteurs de risque étaient réunis. Ce patient
refusait de faire le moindre exercice («ça m'ennuie»)
et ne voulait pas renoncer à sa crème glacée quotidienne. Il présentait donc un risque maximum d'attaque
cardiaque. Au bout de quelques semaines de régime, ses
paramètres sanguins se sont considérablement améliorés ; les triglycérides et le mauvais cholestérol ont
baissé, le bon cholestérol a augmenté. Pourtant, il ne faisait toujours pas d'exercice et continuait à manger sa
glace tous les jours. Il a tout de même perdu 15 kilos et,
depuis maintenant cinq ans, ne les a toujours pas repris.

Un autre de mes patients, à tout juste cinquante-cinq
ans, avait une tension un peu élevée, tout comme ses
taux de cholestérol et de triglycérides, et souffrait déjà
de rétrécissement coronarien. Son médecin lui avait
prescrit les médicaments habituels dans ce cas. Dès
qu'il a été mis au régime, ses paramètres se sont notablement améliorés. En un mois, son taux de triglycérides est ainsi passé de plus de 4 g/l – un chiffre
ahurissant – à moins de 1 g/l. Dans le même temps, il a
perdu 15 kilos, qu'il n'a pas repris. Il ne prend par
ailleurs plus de médicaments pour faire baisser sa tension ou son cholestérol.

Mon troisième sujet aurait dû réagir un peu plus tôt
car il était médecin. En surcharge pondérale, il souffrait
de diabète et ressentait des douleurs thoraciques. Il avait
déjà subi une opération des coronaires, mais celles-ci
commençaient à se boucher à nouveau. Je l'ai mis au
régime dès la première consultation. Son épouse, qui
préparait tous ses repas, estima à juste raison qu'il était
plus pratique de cuisiner de la même manière pour eux
deux. Pendant que son mari maigrissait et améliorait ses

paramètres sanguins, elle perdait aussi du poids, pour son plus grand plaisir.

Cette façon de procéder, assez fréquente, m'a surpris au début, puis m'a donné beaucoup de satisfaction. Lorsqu'il est suivi par le couple, le régime est plus efficace, car les deux « partenaires » se soutiennent dans les moments difficiles. Dans ce cas précis, l'épouse du médecin a maigri plus que lui. À eux deux, ils ont perdu plus de 40 kilos. Les triglycérides et le cholestérol du médecin se sont améliorés jusqu'à redevenir normaux, ses coronaires se sont remises à fonctionner normalement, son diabète a guéri et mon patient n'a plus eu besoin de médicaments.

Il n'a fallu à tous ces cardiaques que quelques mois pour perdre 5, 10, 15 et jusqu'à 25 kilos. Ils ont commencé à maigrir dès la première semaine de régime et n'ont jamais repris le poids perdu. Ces résultats sont sans doute dus aux règles simples de ce régime : c'est en tout cas ce que tous ont dit. Ils ne se sont par ailleurs jamais sentis affamés ni privés de quoi que ce soit, à tel point qu'ils m'ont avoué oublier fréquemment qu'ils étaient au régime.

L'excédent de poids de ces personnes se trouve presque toujours au niveau de la taille, hommes et femmes confondus. Je mesure systématiquement la taille et les hanches de mes patients. Un tour de taille supérieur à un tour de hanches est un bon révélateur de problèmes cardiaques, présents ou à venir. À partir d'un certain âge, c'est au niveau de l'abdomen que l'on stocke les graisses. Le régime Miami fait perdre du poids précisément à ce niveau. La différence est immédiatement perceptible : dès la première semaine, les patients sont plus à l'aise dans leurs vêtements. Cette sensation très agréable les encourage énormément à continuer le régime.

J'étais étonné des résultats obtenus, après des années passées à prescrire des régimes qui ne marchaient pas. De manière inattendue, le régime Miami a commencé à se diffuser, d'abord par le bouche à oreille, puis sur Internet. Je recevais quotidiennement de nombreux appels de Floride, mais également de beaucoup plus loin, pour obtenir des précisions sur le régime, sur les aliments autorisés et interdits, etc. Ce n'étaient plus seulement des cardiaques qui s'y intéressaient, mais des gens en bonne santé, souvent jeunes, qui voulaient perdre du poids ou tout simplement rester minces.

Dès qu'elle a eu vent de ce succès, la presse l'a considérablement amplifié. Les journaux – quotidiens et magazines – consacrent aujourd'hui une large place à la santé et au bien-être. Dès 1999, une émission quotidienne sur le réseau d'ABC en Floride a donné la parole à des adeptes du régime Miami. Ces derniers commentaient leurs progrès devant les caméras, deux fois par jour, pendant un mois. Le succès ne s'est pas fait attendre, et les indices d'audience ont rapidement atteint des sommets. Des centaines de personnes ont adopté le régime, renforçant encore l'audience de la série qui fut alors diffusée deux fois par jour. Non seulement l'émission était très regardée mais c'était celle qui générait le plus de courrier et d'appels téléphoniques : les téléspectateurs voulaient tous une copie du régime Miami.

Deux chaînes de grands magasins ont décidé de distribuer des brochures qui en reprenaient les grandes lignes. Les ventes des aliments conseillés ont ainsi grimpé en flèche. La municipalité a pu constater que Miami commençait à être connue pour son régime !

Les invitations se multipliant, j'ai naturellement dû aller exposer mon régime dans nombre de congrès médicaux. Au début, j'attendais avec inquiétude qu'on teste mes connaissances en nutrition : or, je suis toujours cardiologue et non diététicien. En fait, le régime se révélant excellent sur le plan médical, les médecins ne se contentaient pas de le prescrire à leurs patients, mais l'adoptaient eux-mêmes, autant pour maigrir que pour faire baisser leur cholestérol. En congrès, ils me faisaient part des bons résultats de leurs patients et… des leurs ! Le régime Miami est ainsi devenu le « régime des médecins ».

Après les émissions de télévision, nombre de jeunes entre vingt et trente ans ont adopté le régime Miami. Ainsi cette jeune femme, qui souhaitait perdre 15 kilos et désirait un enfant depuis sept ans. Elle s'est mise au régime, a perdu 15 kilos en quelques mois et s'est retrouvée enceinte juste après. J'étais très heureux pour elle, sans voir là autre chose qu'une simple coïncidence. Je ne me suis aperçu qu'un an plus tard de l'incidence du régime Miami sur la fertilité. Les cycles irréguliers et l'absence d'ovulation chez les jeunes femmes sont assez souvent dus à une polycystite ovarienne, elle-même provoquée par un état prédiabétique, lorsque le sujet a développé une forte résistance à l'insuline. C'était le cas de cette jeune femme. Le régime diminuant sa résistance à l'insuline, ses cycles se sont régularisés et elle a retrouvé une fertilité normale. Elle est aujourd'hui maman d'une adorable petite fille.

Une autre jeune femme, d'une trentaine d'années, dirigeante d'entreprise, a mis au régime tout le personnel de sa société en même temps qu'elle. Tous ont perdu du poids et s'en sont trouvés fort aise. Dans notre service, de nombreuses infirmières ont suivi le régime Miami à force de côtoyer nos malades. Elles me font souvent part de leurs progrès et des satisfactions qu'elles en tirent.

Les principes du régime Miami sont extrêmement simples et très faciles à assimiler par tous. Ainsi, un cameraman de la télévision de Miami m'a dit avoir maigri simplement en appliquant ce qu'il avait entendu par-ci par-là en tournant mes émissions. Pendant un congrès médical, il y a deux ans, j'ai parlé de mon régime à un jeune confrère, d'une manière très informelle, en mentionnant juste ses principes généraux. Un an plus tard, j'ai appris qu'il avait perdu 25 kilos en se basant sur la description très succincte que je lui en avais faite. La simplicité de ce régime est son point fort, ce qui le distingue des autres : pas de règles compliquées et contraignantes, pas de calculs quotidiens, juste des principes faciles à assimiler et à appliquer.

Un succès prouvé

Le moment était venu de mesurer scientifiquement l'efficacité du régime Miami. Pour commencer, j'ai établi précisément les courbes de poids et de paramètres sanguins de soixante patients mis au régime Miami. Les résultats étaient très encourageants. Presque tous les patients avaient maigri ; les taux de triglycérides et de mauvais cholestérol avaient baissé, le taux de bon cholestérol avait monté et le rapport tour de taille-tour de hanches s'était amélioré.

J'ai moi-même présenté ces résultats au symposium annuel de l'Association des cardiologues américains, non sans une certaine appréhension. Je n'évoluais pas dans mon domaine habituel de l'imagerie du système cardio-vasculaire, et je craignais d'être contesté sur les aspects nutritionnels de mon régime que je n'avais peut-être pas suffisamment étudiés. J'ai été rapidement rassuré, quand les participants sont venus me féliciter d'avoir osé braver le sacro-saint régime prescrit par l'association. Manifestement, tous ces médecins n'avaient guère obtenu de résultats avec le régime glucidique traditionnel. Leur réaction a confirmé ce que je pressentais : j'étais dans la bonne voie.

J'ai donc décidé de comparer le régime Miami à la phase 2 du régime de l'Association des cardiologues. Quarante sujets en surpoids ont été soumis à ces régimes, la moitié au premier et l'autre moitié au second. Aucun des patients ne connaissait le nom du régime qu'il suivait.

Au bout de trois mois, cinq personnes assujetties au régime de l'Association des cardiologues ont abandonné, contre une seule pour le régime Miami. La perte de poids était de 6,8 kilos pour le régime Miami, presque le double de l'autre groupe, qui n'avait perdu en moyenne que 3,7 kilos. Le rapport tour de taille-tour de hanches était meilleur avec mon régime, la baisse du taux de triglycérides était également nettement plus importante et le rapport entre bon et mauvais cholestérol s'était amélioré. J'ai présenté cette étude au meeting annuel du collège américain de cardiologie, où elle a été accueillie avec enthousiasme. Depuis que j'avais testé mon régime sur moi-même, que de chemin parcouru !

Mon régime Miami

Michael : « J'ai perdu 18 kilos en quatre mois. »

Quand ma mère m'a parlé de ce régime après avoir vu une émission télévisée, j'ai décidé de m'y mettre. Elle-même est cardiaque et se faisait du souci pour moi : je pesais 125 kilos à trente-six ans. En guise de cadeau de fête des pères, elle m'a offert une consultation chez le nutritionniste de l'hôpital du Mont-Sinaï.

Mon problème, c'était la quantité de nourriture que j'étais capable d'absorber. Je ne suis pas bec sucré, et je ne buvais pas trop de bière, juste un peu le week-end, sans plus. Au petit déjeuner, je ne prenais qu'un café et, à midi, je déjeunais d'une salade ou d'une assiette de pâtes. Mais dans la journée je n'arrêtais pas de grignoter tout ce que je pouvais trouver dans la cuisine, de la tranche de bacon aux pâtisseries. Au dîner, j'accompagnais toujours ma viande ou mon poisson de pommes de terre, de riz ou de pâtes en quantité. Bref, beaucoup de glucides.

Le week-end, c'était pire. Il m'arrivait de sortir dîner le vendredi, le samedi et le dimanche soir. Au restaurant, la nourriture n'est pas vraiment diététique et naturellement, je prenais toujours un verre ou deux avant le dîner. Pour couronner le tout, je ne faisais jamais d'exercice.

Dès la première consultation, le nutritionniste de l'hôpital m'a cependant assuré que mon mode de vie, s'il n'était pas idéal, n'était pas dramatique pour autant. C'était la nature de ce que je mangeais, les quantités que j'absorbais et l'absence d'exercice qui m'avaient mené à ce poids. J'avais essayé quelques régimes, auparavant, et j'avais maigri. Une fois j'avais même tenu quatre mois avant de caler et de reprendre tout le poids perdu.

J'ai finalement adopté le régime Miami il y a environ un an, quand j'ai réalisé que je n'avais jamais été aussi gros. Je ne rentrais plus dans mes vêtements, et je n'avais pas envie d'en acheter d'encore plus grands. C'est à ce moment que ma mère m'a offert cette consultation chez le nutritionniste.

Dès les premiers jours, tout s'est très bien passé. On m'a expliqué en détail la première phase du régime, la plus stricte, que je devais suivre pendant deux à quatre semaines. Je suis un gros mangeur de viande, et les protéines maigres étant autorisées sans limites pendant cette première phase, je n'ai jamais eu faim. J'ai remplacé les féculents par de plus grandes quantités de viande, c'est tout.

Le matin, je mangeais des œufs au jambon. Le nutritionniste m'avait conseillé de supprimer le café au lait, à cause des matières grasses du lait, mais je n'ai jamais pu m'habituer au lait totalement écrémé. J'ai donc continué à boire du café au lait, mais avec très peu de lait.

Ce petit déjeuner me permettait de tenir facilement jusqu'au déjeuner, qui se composait en général d'une petite salade et d'une bonne portion de volaille ou de jambon maigre. Quand j'avais un petit creux l'après-midi, un morceau de fromage maigre. Et beaucoup d'eau, toute la journée. Pour dîner, encore du poulet ou un gros steak grillé avec une portion raisonnable de légumes. Pas de fruits du tout, et uniquement de l'eau comme boisson : pendant ces quatre semaines, j'avais décidé de supprimer totalement les glucides.

J'ai aussi commencé à faire un peu d'exercice : trente à quarante minutes de marche sur un tapis roulant, trois à quatre fois par semaine.

Le week-end, je mangeais comme en semaine ; au restaurant, une grillade et une petite salade, avec un assaisonnement diététique. Pas de pommes de terre ni de riz, pas de dessert non plus, bien sûr, et pas de bière ni d'alcool.

J'ai suivi la première phase pendant quatre semaines au lieu de deux, parce que je l'ai trouvée facile à suivre et que j'en constatais chaque jour les bienfaits. L'été, nous avons souvent reçu des amis à la maison, avec beaucoup de bonnes choses, dont tous se régalaient. Mais j'ai tenu bon.

Après un mois, il était donc temps de réintroduire progressivement des glucides dans l'alimentation, en commençant par les index glycémiques les plus bas. J'ai préparé des salades un peu plus consistantes, j'ai recommencé à manger des fruits, une pomme ou une poire après le déjeuner, car les fruits m'avaient vraiment manqué. J'ai trouvé du pain complet dans une boulangerie proche, du véritable pain complet, ce qui m'a permis de remplacer de temps à autre les salades par des sandwichs. Cet été-là, j'ai pu à peu près me tenir à mon régime pendant les vacances. Si je n'ai pas perdu de poids, je n'ai pas pris 100 grammes. Dès la rentrée, je me suis remis quelques semaines à la phase 1, en faisant un peu d'exercice. À la consultation suivante, le nutritionniste m'a autorisé à manger un peu plus de légumes, des patates douces, du riz complet, des courgettes et des légumineuses, haricots et lentilles.

Après quatre mois de régime, j'ai perdu 17 kilos, alors que je m'étais fixé pour but de les perdre en six mois. Je voulais perdre encore 8 kilos, pour arriver à 25 au total. Mais naturellement, pendant les fêtes, je ne me suis pas strictement tenu au régime, et j'ai repris 3 kilos ; retour à la phase 1 en janvier et reprise de l'exercice.

Il y a maintenant huit mois que je suis au régime, ce que je n'avais jamais fait jusqu'à présent. Le régime Miami n'étant ni compliqué ni contraignant, j'ai pu le suivre au restaurant ou en vacances, avec un minimum de discipline et de volonté. Bien sûr, quand mes voisins de table commencent à piocher dans les desserts, il m'arrive d'en goûter une cuillerée. Mais je ne prends plus jamais un dessert entier.

J'ai encore 8 à 10 kilos à perdre, mais j'ai confiance. Avec ce régime, et un peu d'exercice, je pense y parvenir avant la fin de cette année.

6

Dites au revoir au pain

Vous achevez la phase 1, vos deux semaines de régime strict. Votre métabolisme a déjà changé, et vous n'éprouvez plus autant d'envies de sucre, car votre résistance à l'insuline a disparu. Précisément parce que vous n'avez plus ce besoin de sucre et de féculents, vous allez pouvoir en réintroduire dans votre alimentation. C'est un nouveau départ.

Vous pensez peut-être qu'au terme de la première phase, on n'a qu'une envie, manger de nouveau du pain, des pommes de terre, du riz, bref tous les féculents interdits jusque-là. En réalité, c'est le contraire qui se produit : très sécurisés en phase 1, la plupart de nos patients ont du mal à passer à la phase 2, parce qu'ils ont peur de reprendre du poids, en mangeant à nouveau tout ce qui ne leur a pas réussi. « Si le pain, les pommes de terre et le riz m'ont fait grossir, pourquoi en mangerais-je de nouveau ? Je ne veux pas regagner tout ce que j'ai eu du mal à perdre, je préfère continuer à perdre

65

du poids rapidement.» Voilà ce que l'on me dit souvent.

Il faut pourtant remettre les glucides au menu, tout du moins certains, et ceci pour plusieurs raisons. Tout d'abord, nombre de glucides sont bons pour la santé, tout particulièrement ceux que l'on trouve dans les fruits; les glucides du pain, si vous choisissez du pain complet, fournissent aussi d'appréciables éléments nutritionnels. Ensuite, diversifier les aliments redonne le goût des bonnes choses, ce qui est une composante essentielle du régime. Bien manger est un plaisir, même si tous les aliments ne sont pas autorisés sans restriction.

Naturellement, il faut réintroduire les glucides progressivement, surtout ceux qui possèdent un index glycémique élevé. Vous pouvez commencer avec un fruit par jour, un fruit qui ne fait pas monter trop vite votre taux de sucre dans le sang. Les pommes, par exemple, sont excellentes; leur index glycémique est faible et elles contiennent beaucoup de fibres. Le pamplemousse est très bon aussi, comme les fruits rouges (fraises, framboises et groseilles).

Notez toutefois qu'en phase 2, il faut éviter les fruits au petit déjeuner. À jeun, l'absorption de fruits provoque souvent une intense sécrétion d'insuline, ce qui donne instantanément faim. S'ils contiennent beaucoup de fibres, les fruits sont aussi riches en sucres, notamment en fructose. Réservez donc pommes et poires, pamplemousses et fraises au déjeuner ou au dîner, et toujours en fin de repas.

Avec les fruits, vous pouvez manger à nouveau des céréales, qu'elles soient instantanées, comme les céréales non sucrées et enrichies en fibres, ou à cuire, comme les flocons d'avoine – à condition qu'ils soient au naturel et non précuits. En ce domaine, mesurez tout de même les quantités. Le régime Miami n'impose pas de peser ses aliments, mais nous recommandons de garder une certaine mesure en ce qui concerne les céréales, le riz et les pommes de terre. Prenez vos céréales avec du lait écrémé et de l'aspartam plutôt que du sucre. Manger un œuf avec les céréales est une bonne chose, car les protéines de l'œuf et ses (bons) lipides ralentissent l'assimilation des glucides.

Si vous préférez les glucides au dîner plutôt qu'au petit déjeuner, cela ne pose pas de problème, vous pouvez manger une tranche de pain complet le soir sans aucune crainte. En revanche, ne mangez pas de glucides au petit déjeuner *et* au dîner, surtout au début de la phase 2. Il est essentiel de réintroduire très progressivement les glucides dans votre alimentation, le but étant de continuer à maigrir en en mangeant. Si vous perdez du poids avec une pomme et une tranche de pain complet par jour, tout va bien. Si vous prenez une pomme, deux tranches de pain et une banane par jour et que vous arrêtez de maigrir, vous avez été trop vite. Réduisez les quantités ou essayez d'autres glucides, et notez les résultats.

Tout au long de la phase 2, vous devez être attentif à ce que vous mangez en choisissant les glucides qui vous réussissent le mieux. Il ne s'agit pas alors de se peser tous les jours, j'y suis opposé. On évalue en général assez bien son poids et le simple fait de se sentir bien dans ses vêtements est déjà un bon indice. Vous constaterez aussi très vite que certains aliments provoquent rapidement une sensation de faim.

En phase 2, deux personnes peuvent ne pas réagir de la même manière. La première peut sans problème manger des pâtes une fois par semaine, alors que la seconde, à qui elles ne réussissent guère, préférera manger une patate douce. En pratique, il faut établir son régime soi-même, en fonction de ses goûts, de ses habitudes, et de la façon dont on réagit à tel ou tel aliment. Mon but, c'est d'arriver à vous faire suivre le régime en mangeant ce que vous aimez.

L'expérience a prouvé que ceux qui réussissent le mieux le régime sont ceux qui essayent un maximum d'aliments et toutes sortes de recettes. Grâce aux herbes et aux épices, surtout les plus fortes, comme le poivre, le raifort, l'ail, le piment, la muscade ou la cannelle, on peut varier les plats à l'infini. L'un de mes patients a ainsi imaginé un délicieux potage préparé avec toutes les herbes qu'il a pu trouver sur le marché.

Quand on est au régime, il faut avant tout éviter la monotonie. Devoir manger toujours la même chose est la meilleure façon de revenir aux anciennes – et mauvaises – habitudes. Faites preuve d'un peu d'imagination pour varier vos repas. Substituer un aliment autorisé à un interdit est une très bonne méthode, qui ne perturbe pas trop les habitudes alimentaires. Remplacez le pain blanc par du pain complet, le riz blanc par du riz sauvage, les pâtes par des pâtes intégrales. Il existe bien d'autres astuces. La purée de pommes de terre, par exemple, tout le monde l'adore, mais elle est à exclure des régimes sans glucides. Faites donc cuire à l'eau ou à la vapeur des bouquets de chou-fleur (frais ou surgelés, c'est ici sans importance) ou du céleri-rave. Quand ils sont tendres, mixez-les avec une cuillerée de margarine de tournesol allégée, épaississez l'ensemble avec du lait écrémé en poudre, salez et poivrez. Au goût, cette purée remplace très bien les classiques pommes de terre, tout en étant riche en fibres, pauvre en glucides et totalement dénuée de graisses saturées.

À une époque où les bouchées enveloppées de salade, à l'asiatique, n'étaient pas à la mode dans les restaurants, j'ai proposé à mes patients ces substituts de sandwichs dans lesquels les feuilles de laitue remplacent les tranches de pain. Le succès a été immédiat. Mes patients se sont rendu compte que ce qui était bon dans le sandwich, c'était sa garniture, que ce soit de la viande, du poisson, des légumes, etc. Je leur ai aussi proposé des recettes un peu oubliées des années 1950 : les tomates farcies à la viande ou à la salade de thon et aussi toutes sortes de légumes farcis comme les courgettes, les aubergines ou les artichauts.

J'ai même préparé des desserts compatibles avec le régime. Les amateurs de chocolat en mangent souvent beaucoup, alors qu'on peut préparer d'excellents desserts avec très peu de chocolat. Plutôt qu'un gros gâteau, essayez les fraises trempées dans du chocolat noir (choisissez un chocolat peu sucré, au moins à 70 % de cacao). Quatre ou cinq fraises représentent un dessert très présentable, qui ne contient en réalité que peu de chocolat. Essayez aussi les bananes au chocolat, version diététique : coupez une banane en rondelles fines, congelez-les et trempez-les dans une sauce préparée avec du cacao non sucré et de l'aspartam. Vous obtenez un dessert qui ravit les becs sucrés... sans les inconvénients du sucre.

En substituant de cette manière les aliments, on peut varier les menus et préparer bien des recettes qui seraient impossibles à intégrer dans les régimes classiques. Pour que votre régime soit vraiment efficace, il importe de savoir exactement ce que vous pouvez et ne pouvez pas manger au quotidien. Voici quelques exemples parmi les aliments les plus couramment consommés aujourd'hui.

Le petit déjeuner

Jusqu'à une époque très récente (en fait aujourd'hui encore), on avait des idées bien arrêtées sur le petit déjeuner anglo-saxon (jus d'orange, œufs au bacon, galette de pommes de terre, café et toasts), réputé très sain et nutritif, qui séduit de plus en plus de Français. Ainsi, étaient jugés bons le jus d'orange (pour la vitamine C), les pommes de terre (les légumes, c'est bon pour la santé), les toasts (quoi de plus naturel et de plus sain que le pain ?). Étaient jugés mauvais les œufs (qui donnent du cholestérol), le bacon (gras) et le café (la caféine n'est pas bonne).

La réalité est bien différente. Les scientifiques doivent rester humbles, car ce qui est vrai à une époque peut se révéler faux le lendemain. Les médecins d'hier n'étaient pas incompétents, mais les connaissances ont progressé, tout naturellement, et il nous faut aujourd'hui oublier de nombreuses idées reçues.

À cet égard, ce type de petit déjeuner est un excellent exemple. Avant la Seconde Guerre mondiale, les œufs étaient considérés comme un aliment de qualité, de haute teneur en protéines et en nutriments variés. Dans les années 1970, quand la médecine a pris conscience de l'importance du cholestérol dans le déclenchement de troubles cardio-vasculaires, les œufs ont été soudainement rendus responsables de tous les maux. Il ne fallait pas en manger plus de deux ou trois par semaine, et les éviter totalement dès que l'on avait un peu de cholestérol. Le bacon, avec ses graisses saturées, était mauvais, voire dangereux. On ne se préoccupait pas à l'époque des glucides contenus dans le petit déjeuner, et surtout pas de ceux du jus d'orange, boisson saine par excellence.

Nous savons aujourd'hui que l'œuf est un excellent aliment. Il fait augmenter de la même manière les taux de bon et de mauvais cholestérols et surtout ne modifie pas le rapport entre les deux, ce qui est essentiel. Son jaune est une bonne source de vitamine E, un puissant antioxydant efficace pour prévenir les cancers et les maladies cardio-vasculaires.

Le bacon n'est pas non plus aussi mauvais qu'on l'a prétendu, dès lors qu'on n'en abuse pas. Il en va de même pour le café, acceptable à doses modérées.

Les autres aliments de notre petit déjeuner, ceux qui étaient naguère considérés comme «bons», sont au contraire à éviter.

Les galettes de pommes de terre? À l'état naturel, la pomme de terre possède déjà un index glycémique élevé. Épluchée et émincée, la pomme de terre libère plus rapidement ses sucres et ses amidons : son index glycémique est encore plus élevé. De plus, les galettes de pommes de terre sont souvent cuites dans une huile contenant essentiellement des lipides saturés : diététiquement parlant, cette recette est catastrophique.

Les toasts? Nous savons que le pain blanc est interdit à celui qui veut perdre du poids, une tranche de pain équivaut à une grosse cuillerée de sucre en poudre. Méfiez-vous des pains dits «enrichis», que ce soit en fibres, en vitamines, en germe de blé, etc. Si cette mention figure sur l'étiquette, cela signifie que tous les

71

nutriments et les fibres naturelles du grain complet ont été éliminés lors du raffinage de la farine, puis que l'on en a ajouté ensuite. Tous les pains «enrichis» sont préparés avec de la farine blanche, et donc à éviter. La mention «farine complète» ne signifie pas non plus que vous trouvez dans le pain toutes les fibres et les nutriments présents dans la céréale. Il faut s'assurer que le pain est préparé avec le *grain complet*, quelle que soit la céréale. Ce type de pain ne se trouve pas fréquemment en grandes surfaces. Si vous tartinez votre toast de confiture ou de gelée plutôt que de beurre, pour manger moins gras, cela n'arrange rien. À quelques exceptions près – la plupart des confitures étant extrêmement sucrées –, le beurre (en quantité raisonnable) est encore préférable, même si ce n'est pas le meilleur choix pour tartiner les toasts.

Le jus d'orange? Si vous l'achetez tout fait, en carton ou en bouteille, vous pourriez aussi bien prendre un soda à la place. Il y a de bons nutriments dans le jus d'orange, mais on peut les trouver ailleurs, ce qui évite d'absorber tout le sucre contenu à l'intérieur. Mais le fruit frais pressé est bien meilleur, parce que les fibres de la pulpe ralentissent l'assimilation du fructose, le sucre des fruits. À ce propos, on a tendance à penser que le sucre des fruits n'est pas du tout le même que le sucre des bonbons, par exemple. En réalité, ils sont très proches. Tous les goûts sucrés viennent de sucres. Le fructose – le sucre des fruits – possède toutefois un index glycémique un peu moins élevé que le saccharose – le sucre des confiseries. Consommé avec des fibres, le fructose est un aliment acceptable; sans fibres, il est nettement moins bon. Mangez donc tout le fruit plutôt que d'en boire le jus.

Compte tenu de tout ce qui précède, peut-on prendre un bon petit déjeuner quand on est au régime Miami ? Rassurez-vous, c'est possible, avec quelques aménagements.

Préparez les œufs à la coque ou pochés. Si vous tenez absolument aux œufs sur le plat ou à l'omelette, enduisez très légèrement la poêle d'huile de soja, de colza ou d'olive, plutôt que de cuire les œufs au beurre ou à la margarine. Pour le bacon, préférez le filet de porc fumé – beaucoup moins gras et plus riche en protéines – au lard de poitrine.

Les pommes de terre sont à supprimer, elles ne conviennent décidément pas du tout au régime. Vous pouvez les remplacer par des flocons d'avoine, qui sont riches en fibres et excellents pour le cholestérol. Seuls les flocons d'avoine naturels, à cuire, sont bons. Les flocons instantanés, précuits, contiennent beaucoup moins de fibres. Préparez-les avec du lait entièrement écrémé et de l'aspartam, si vous les préférez sucrés.

Si vous ne pouvez pas vous passer de la fraîcheur de l'orange au réveil, mangez tout le fruit plutôt que d'en boire le jus. Vous profitez ainsi de tous ses nutriments naturels, fibres et vitamine C compris. Je parie que vous ne mangerez qu'une orange, au lieu de prendre un grand verre de jus d'orange, qui représente le sucre de trois ou quatre fruits.

Vous pouvez manger un toast, mais de pain complet, tartiné de margarine allégée. Les margarines allégées ne contiennent plus aujourd'hui de lipides saturés, dangereux pour le système cardio-vasculaire.

Vous pouvez également boire un café, dès lors que vous n'y ajoutez que du lait écrémé, et de l'aspartam si vous l'aimez sucré.

Les glaces

Une coupe glacée classique comme le banana split semble a priori assez bonne : après tout, c'est un dessert aux fruits. En fait, ce dessert est à proscrire. La banane est bien un fruit, mais riche en sucre et doté d'un index glycémique très élevé. Il faut donc la remplacer par d'autres fruits. Des fruits rouges, comme les fraises, les framboises ou les myrtilles, accompagnent très bien les glaces. On peut ajouter à ces baies rouges quelques amandes, noix ou noisettes, mais uniquement des fruits au naturel, non sucrés. Les amandes, les noix et les noisettes contiennent de bons lipides et donnent de la consistance à vos desserts.

Pour la glace elle-même, il n'y a pas grand-chose à faire. La crème glacée est sucrée, ce qui n'est pas très bon. Elle est aussi très grasse, ce qui a l'avantage de rassasier rapidement. Vous n'en mangerez sans doute pas trop, sachant que ce n'est pas bon pour vous. Utiliser de la glace allégée ou du yaourt glacé n'est pas une bonne alternative, car les matières grasses de ces produits allégés sont remplacées par des sucres. On a par ailleurs tendance à en manger davantage. D'abord parce qu'ils rassasient moins, ensuite parce qu'on a bonne conscience : « C'est de l'allégé, je peux en manger. » Mauvais calcul, si vous faites une entorse à votre régime, il vaut mieux en avoir conscience.

La trilogie du fast food : hamburger – frites – soda

Le fast-food fait aujourd'hui partie de notre univers culinaire : un hamburger ou un cheeseburger, des frites, un grand soda, c'est le menu de bien des jeunes, et même de moins jeunes. Tout le monde peut manger au fast-food à toute heure du jour, à petit prix, et personne ne s'en prive. Malheureusement, cette consommation sans cesse croissante de hamburgers – frites – soda ne va pas sans poser de sérieux problèmes de santé.

Le hamburger classique n'est pas bon parce qu'il est constitué de pain enrichi en matières grasses, de viande de bœuf grasse elle-même et cuite dans de la matière grasse (la plupart du temps composée de lipides saturés). En consommer quotidiennement engendre de sérieux risques pour la santé… et pour le tour de taille. En revanche, s'il est convenablement préparé, un hamburger de temps à autre ne peut pas faire de mal, même quand on est au régime. Il ne faut tout simplement pas manger n'importe quel hamburger.

En fait, c'est le pain des hamburgers qui pose un problème, parce qu'il est préparé à partir de farine blanche, raffinée à 100 %. Pris à jeun, ce pain, ajouté aux pommes de terre et au jus d'orange, fait énormément monter le taux de sucre dans le sang, ce qui provoque une intense sécrétion d'insulines et, très rapidement, une forte sensation de faim… qui pousse à la consommation d'autres sucres.

Le steak haché doit être préparé avec du bœuf maigre, du rumsteck par exemple, et non de la viande hachée grasse. On peut également supprimer la moitié du pain du hamburger et le manger comme une tartine. Il est même préférable (et meilleur au goût) de remplacer le pain blanc par un pain pita (pain libanais), préparé avec du blé complet, ou un petit pain au levain. Le pain au levain n'est pas du pain complet, mais l'acidité du levain diminue notablement son index glycémique.

Il est aussi plus long à digérer et cette absorption lente évite les pics de glycémie que l'on observe avec le pain blanc. L'idéal est encore de manger son hamburger sans pain.

Évitez le ketchup, même en petites quantités, car il est gorgé de sucre. Les rondelles de tomates, en revanche, sont tout à fait recommandées, comme les rondelles d'oignon, les feuilles de laitue, les cornichons en lamelles. On peut sans inconvénient assaisonner le hamburger de sauce chili, de moutarde et même d'un peu de mayonnaise à l'huile de soja ou de colza – mais pas de mayonnaise allégée, qui contient des sucres.

Les frites quant à elles posent vraiment un problème. Très riches en amidon, elles sont également chargées des graisses saturées dans lesquelles elles ont cuit. Les meilleures frites, pour les amateurs, sont cuites dans de la graisse de rognon de bœuf. Ce sont malheureusement aussi les plus dangereuses. De simples chips sont finalement meilleures – ou plutôt moins mauvaises. On peut aussi utiliser des patates douces à la place des pommes de terre, et les cuire dans de l'huile d'arachide, un lipide insaturé.

Si vous ne pouvez vraiment pas vous passer de pommes de terre, ne prenez qu'une petite portion de frites. Encore mieux, remplacez-les par une bonne salade.

Les sodas, enfin, dont on accompagne les hamburgers, sont à bannir absolument. Si vous ne pouvez pas vous contenter d'eau, remplacez au moins le cola par sa version «light», aux édulcorants de synthèse.

Vous pouvez améliorer la trilogie classique (cheeseburger – frites – soda) en enlevant la moitié du pain du cheeseburger, en remplaçant les frites par une salade –

une salade saumon-crevettes par exemple – et le soda par un soda light. Vous diminuez ainsi considérablement la quantité de mauvais glucides du « déjeuner fast-food ».

Les fast-foods ne sont pas vraiment des restaurants diététiques. Limitez les dégâts en laissant de côté le pain du hamburger et en mangeant la garniture à la fourchette. Oubliez les pommes de terre et le jus d'orange qui n'est pas issu uniquement de fruits pressés.

Confitures et gelées

Les confitures et les gelées contiennent beaucoup de sucre, jusqu'à 60 % de leur poids total. Même avec du pain, l'absorption de confiture provoque une sécrétion d'insuline beaucoup trop forte. Le toast lui-même, presque toujours préparé avec du pain blanc, n'arrange rien. Ce petit déjeuner ressemble en fait plutôt à un pur dessert.

Je vous conseille de ne mettre qu'une très fine couche de gelée ou de confiture sur du pain au levain et d'accompagner ce tartine de lait écrémé. Réservez ce genre de petit déjeuner aux grandes occasions.

Pizza et bière

Encore une association à risque. Vous savez maintenant que dans la pizza, vous pouvez manger sans crainte le fromage et l'huile, surtout s'il s'agit de mozzarella allégée et d'huile d'olive. C'est la pâte de la pizza, préparée avec de la farine blanche, qui pose un problème.

Quant à la bière, ce n'est pas vraiment une boisson de régime, le maltose qu'elle contient ayant un index glycémique plus élevé encore que le pain blanc. La bière provoque d'intenses sécrétions d'insuline et fait grossir de l'abdomen : c'est la « brioche » propre au buveur de bière.

La pizza, cependant, n'a pas que des inconvénients. Les tomates constituent une bonne source de lycopène, un élément qui protège du cancer. En supprimant totalement les pâtes et les pizzas, on se prive d'une des plus agréables façons de manger des tomates.

Pour continuer à vous régaler de pizzas, adoptez donc celles à pâte fine, garnies de mozzarella allégée, de poivrons, d'oignons, de champignons et d'olives. Tous ces légumes sont autant de bons glucides qui rassasient sans faire grossir. Et remplacez la bière par un verre de vin rouge : vous n'en serez pas encore au véritable repas diététique, mais la pizza sera déjà bien meilleure pour votre ligne.

Mon régime Miami

Candy : « Je n'ai jamais eu vraiment faim. »

J'ai lu un article sur le régime Miami au moment où j'avais décidé de perdre 8 kilos. Au contraire de tous les régimes fantaisistes dont j'entendais parler, celui-là semblait sérieux et faisable. En outre, il était préconisé par un cardiologue. C'est pourquoi je l'ai adopté.

Mon point faible, c'était justement les glucides. J'adorais les gâteaux et les beignets. Si je passais avec mon fils devant la pâtisserie, à la sortie de l'école, et qu'il me demandait un beignet, je ne pouvais pas résister et je m'en achetais un. Par gourmandise, tout simplement.

J'ai eu un peu de mal pendant les deux premières semaines de la phase 1, parce que le régime est assez restrictif. Peut-être aussi à cause de l'idée que je m'en étais faite à force de penser : « Ça va être plus dur que tu ne le crois. » Le plus difficile était de ne pas pouvoir manger de pain au restaurant. Mais d'un autre côté, c'est un régime pratique, parce qu'on n'a jamais l'obligation de tel ou tel aliment. Poissons, viandes, légumes, on peut changer en fonction de ses goûts ou de son appétit. Si on n'a pas envie de fromage, pour les petites faims, on peut manger des amandes ou des noisettes. Par rapport aux régimes qui imposent un menu donné à midi, un autre le soir, un petit déjeuner très précis le lendemain matin, celui-ci permet de manger un peu ce qu'on veut, ce qui est très agréable.

Une fois que l'on a bien assimilé les principes du régime, et que l'on connaît les aliments interdits et ceux qui sont autorisés, ça va tout seul, même pendant la phase stricte. Je n'ai jamais eu vraiment faim, parce que j'ai toujours pu manger en quantité ce qui m'était autorisé.

J'ai perdu environ 5 kilos, et j'ai commencé à faire de la musculation avec un entraîneur. J'ai donc repris la moitié de ces 5 kilos, mais en muscles – qui pèsent plus que la graisse. Je me sens beaucoup mieux et beaucoup plus forte. Parfois, en passant devant une pâtisserie, j'ai envie d'un beignet, comme avant. Et puis je me raisonne : je n'ai pas envie de recommencer à grossir.

7

Manger ce qu'il faut, comme il faut

Vous l'avez compris, le mécanisme de la prise de poids, dans presque tous les cas, est toujours le même : plus vite on assimile les sucres et plus on grossit. Donc, tout ce qui accélère le processus de digestion des glucides est mauvais pour votre régime, tout ce qui le ralentit est bon. La digestion consistant essentiellement à séparer les différents composants des aliments, tous ceux qui sont plus longs à digérer sont meilleurs.

Il faut garder cette idée à l'esprit au moment de préparer vos repas. Le processus de digestion commence en effet bien souvent *avant* de manger, précisément quand on cuisine. Prenons l'exemple du brocoli. Cru et entier, il est fibreux et dur sous la dent. Votre estomac va devoir travailler beaucoup et longtemps pour le digérer, ce qui est très bon. Évidemment, on ne mange pas souvent les brocolis crus, en dehors des amuse-gueules de cocktail. On les lave tout d'abord, on coupe ensuite les tiges, les parties les plus dures, et on cuit les bouquets à l'eau ou à la vapeur jusqu'à ce qu'ils soient tendres. C'est à peu près ce que font la mastication, mécaniquement, et l'estomac, chimiquement, avec les sucs digestifs. Le brocoli est déchiqueté, broyé et même partiellement liquéfié par la digestion. La préparation et la cuisson des aliments ne sont pas autre chose que des processus de digestion.

Dans le cas des aliments manufacturés, la digestion commence bien avant que les produits n'apparaissent sur les rayons des magasins. Prenons le cas d'un pain de mie industriel. Pour le fabriquer, on a d'abord ôté les enveloppes du grain de blé, le privant du son, du germe et des fibres. Il est ensuite pulvérisé très finement pour donner de la farine la plus blanche possible. La fermentation et la cuisson transforment enfin la farine en un pain léger et aéré. Votre estomac ne fait qu'une bouchée, si on peut dire, de ce pain, dont les glucides, assimilés instantanément, vont avoir le même effet qu'un morceau de sucre avalé directement. Il n'y a pas si longtemps, ce pain blanc aurait été considéré comme de la brioche : au fond, il n'y a pas grande différence entre les deux.

Le véritable pain, ce n'est pas du tout la même chose. On ne trouve le pain à croûte épaisse, à mie plus ferme, dans lequel on distingue des fragments de grain, que chez les bons boulangers et dans les magasins diététiques. Ce pain qui fait travailler votre estomac n'est pourtant préparé qu'à partir de céréales, comme le pain de mie, mais les grains n'ont pas été traités, seulement broyés assez grossièrement. On voit d'ailleurs le son dans le pain. Bien sûr, il contient aussi des sucres, les amidons, les mêmes que ceux du pain de mie ; mais ils sont liés aux fibres, ce qui ralentit considérablement leur digestion, donc leur assimilation. Votre taux de sucre dans le sang n'augmente que progressivement, votre pancréas sécrète moins d'insuline et vous ne ressentez pas la sensation de faim que provoque l'absorption de sucre.

Il est essentiel de bien comprendre ce mécanisme : plus vous mangez d'aliments industriels raffinés, plus vous prenez de poids. Vous savez maintenant que vous pouvez aussi contrôler l'index glycémique de vos aliments en choisissant la manière de les préparer. La pomme de terre, par exemple, est un légume qui se prête à d'innombrables recettes : d'un simple potage à de la vodka, on peut tout faire avec la pomme de terre ; mais selon la manière dont vous la cuisinez, elle vous fait plus ou moins grossir.

Contrairement à ce que l'on pense, la pomme de terre cuite au four est la moins bonne, car cette cuisson rend ses glucides très assimilables. Cela peut paraître paradoxal, mais si vous lui ajoutez une cuillerée de crème ou un peu de fromage allégé, votre pomme de terre sera meilleure, et pas seulement au goût. Elle sera un peu plus calorique, mais les matières grasses ralentissant la digestion, votre sécrétion d'insuline sera réduite. (Pour autant, ce n'est pas un coupe-faim idéal. Si vous mangez une pomme de terre au four en milieu d'après-midi, vous pouvez être sûr d'avoir terriblement faim avant l'heure du dîner. À la limite, une petite glace ou un morceau de chocolat noir est préférable.)

La pomme de terre bouillie, entière ou en purée, est plutôt meilleure ; pas seulement en raison du mode de cuisson, mais aussi parce qu'on la mange en général avec du beurre ou de la crème, ce qui ralentit sa digestion comme nous l'avons vu. Croyez-le ou non, même les frites, ou les chips, sont préférables aux pommes de terre au four, à cause des matières grasses dans lesquelles elles ont cuit. Les variétés de pommes de terre n'ont pas non plus le même index glycémique, les blanches étant meilleures que les rouges, les patates douces meilleures que les pommes de terre classiques, et les légumes nouveaux meilleurs que les légumes d'hiver (les pommes de terre récoltées jeunes sont toujours préférables à cet égard). Ne vous y trompez pas : les pommes de terre ne constituent jamais un bon aliment de régime, en tout cas pas dans le cadre du régime Miami.

Essentielles, les fibres

Quand on fait un régime, le pain blanc est un des pires aliments qui soient, pire que la crème glacée. Au dîner, si vous hésitez entre un morceau de pain et un dessert glacé, optez pour la glace. Il existe d'autres pains que le pain blanc : rappelez-vous que plus le pain est rustique et lourd, meilleur il est.

Ce principe s'applique d'une manière générale : l'aliment entier est meilleur que celui qui est coupé en tranches ou en morceaux, lui-même meilleur que l'émincé, qui reste supérieur au haché ; le hachis étant meilleur que l'aliment mixé en purée et la purée meilleure que le jus.

Ainsi la pomme, quand elle est consommée entière avec sa peau, est un fruit riche en pectine, une fibre soluble dans l'eau. L'assimilation du sucre qu'elle contient en est d'autant ralentie (l'orange est exactement dans le même cas, c'est la pulpe et la fine peau blanche qui contiennent les fibres).

Si l'on épluche une pomme et qu'on la presse, on obtient quelque chose de très différent. On met cinq minutes à manger la pomme tout entière, avec sa peau dans laquelle sont présents les nutriments essentiels et les fibres. Le jus d'une pomme, lui, est bu en quelques secondes. L'index glycémique des aliments varie aussi en fonction de leur vitesse d'absorption et de digestion, on voit qu'un grand verre de jus de fruits équivaut à une prise de sucre pur, même si le fructose – le sucre des fruits – est un peu moins mauvais que le saccharose – le sucre courant. Aujourd'hui, tous les jus de fruits du commerce sont dépourvus de pulpe et de fibres. Les diabétiques, quand ils sont en hypoglycémie, boivent d'ailleurs un jus d'orange plutôt que de manger un fruit, car l'effet est beaucoup plus rapide.

Les fibres jouent un rôle essentiel dans notre alimentation, en ralentissant la digestion des sucres et des amidons : il ne faut surtout pas s'en priver. Dans les légumes, comme les brocolis, les fibres, intimement liées aux nutriments, sont essentiellement composées de cellulose, c'est-à-dire de *bois*. C'est ce bois qui donne du travail au système digestif, permettant d'assimiler les nutriments dans de meilleures conditions.

Les barrières antisucres

Les fibres ne sont pas les seuls éléments à ralentir l'assimilation des glucides. Les protéines et les lipides y participent aussi. Il est recommandé de manger un peu de protéines, ou des matières grasses (mais uniquement des bons lipides), avec les glucides. Il est préférable, par exemple, de manger le pain avec un filet d'huile d'olive ou un peu de fromage allégé plutôt que de le manger seul. Des pâtes à la sauce tomate accompagnées de pain constituent un plat très riche en glucides, qui sera meilleur sur le plan diététique si on y ajoute de la viande ou du fromage râpé. Se contenter d'une pomme de terre cuite en guise de déjeuner n'est pas une bonne idée, il vaut mieux manger la pomme de terre avec un steak et quelques brocolis. Sécrétant moins d'insuline, on est sûr de ne pas avoir de creux dans l'après-midi.

Une astuce pour faire baisser l'index glycémique de n'importe quel aliment consiste à prendre un mucilage (metamucil par exemple) quinze minutes avant le repas. Constitués de fibres qui accélèrent le transit intestinal, les mucilages sont utilisés pour leurs propriétés laxatives. Pris avant le repas, les mucilages se mélangent aux aliments dans l'estomac et ralentissent la digestion.

Voyons maintenant ce qu'il est possible de boire. Quand on parle régime, on s'occupe essentiellement de ce que l'on mange, mais ce que l'on boit a autant d'importance. Le système digestif, lui, ne fait pas la différence, car les aliments solides au départ arrivent *tous* sous forme liquide au niveau de l'intestin grêle. Il faut aussi être attentif à ce que l'on boit car les liquides étant digérés presque instantanément, les éléments qu'ils contiennent passent immédiatement dans le sang. Quand il s'agit de sucre, on a donc aussitôt une sécrétion d'insuline, génératrice d'une sensation de faim.

La meilleure boisson, c'est naturellement l'eau. On recommande toujours de boire au moins deux litres d'eau par jour, même si on n'est pas sûr de la pertinence d'une telle prescription. Avons-nous besoin de tant d'eau ? Quoi qu'il en soit, il n'est jamais mauvais de boire de l'eau quand on a soif. L'estomac rempli d'eau donne par ailleurs une sensation de satiété, ce qui n'est pas à négliger quand on est au régime.

La pire des boissons, c'est la bière, à cause d'un de ses principaux constituants, le maltose, un sucre à index glycémique extrêmement élevé, pire que le sucre en poudre. Le vin et même le whisky sont meilleurs que la bière parce que préparés à partir de raisins ou de céréales. Ne croyez pas pour autant que le whisky soit recommandé si vous êtes au régime. Le vin blanc est préférable, le vin rouge encore meilleur parce que la peau de ses raisins contient du resvératrol, une substance protectrice du système cardio-vasculaire.

Passons sur les sodas, extrêmement sucrés, qui sont à bannir, tout comme les boissons à base de thé sucré.

Le café ne contient pas de sucre, sauf si on lui en ajoute, naturellement. Les médecins conseillent souvent de ne pas abuser de café, ce qui n'est pas entièrement faux. Nombre de régimes préconisent le décaféiné parce que la caféine stimule le pancréas, donc la sécrétion d'insuline, ce dont on n'a pas vraiment besoin quand on veut perdre du poids. L'effet de la caféine sur le pancréas n'est cependant pas si important que cela, tant que l'on en consomme avec modération. Ne vous privez pas d'une tasse ou deux de café par jour, si cela peut vous rendre heureux. Le thé, de son côté, semble protéger des maladies cardiaques et du cancer de la prostate.

Les jus de fruits posent un problème car, dans l'esprit des gens, ils représentent des boissons très saines, très bonnes pour la santé. Naturellement, les jus de fruits apportent de bons nutriments, surtout les fruits frais pressés ; mais ils contiennent tellement de sucre – même s'il s'agit de fructose –, qu'ils peuvent à eux seuls ruiner un régime.

Attention, les jus de fruits ne sont pas totalement innocents. Un de mes patients a soudainement commencé à présenter les symptômes du diabète gras, notamment un taux de sucre dans le sang extrêmement élevé. Rien ne laissait pourtant présager cette maladie chez lui, il n'avait aucun problème de type infectieux, et pas de stress. J'ai commencé à l'interroger sur d'éventuels changements dans ses habitudes alimentaires, quand il m'a parlé du distributeur de jus de fruits qu'on venait d'installer dans les bureaux de son entreprise. Pensant que les jus de fruits étaient très sains, il avait remplacé ses tasses de café quotidiennes par autant de verres de jus d'orange. Je lui ai recommandé d'arrêter le jus d'orange et son sucre sanguin est aussitôt revenu à un niveau normal.

Ce cas illustre bien les dangers engendrés par les aliments industriels tout préparés. Une orange contient naturellement le même sucre que le jus d'orange, mais on y trouve aussi de la pulpe et des fibres, tant dans la chair que dans les membranes qui séparent les quartiers. L'orange est donc plus longue à digérer. Elle est aussi plus longue à manger, ne serait-ce que parce qu'il faut l'éplucher. Pendant une petite pause, on mange une orange, deux au maximum, alors qu'on peut boire bien plus de jus de fruits en bouteille. Quitte à boire des jus de fruits, optez pour une orange pressée, vous profitez ainsi de la pulpe du fruit.

Ceci vaut pour pratiquement tous les jus de fruits. Le jus d'ananas est *très* sucré, le jus de raisin aussi. Depuis quelques années, le jus de pomme est à la mode, on en donne souvent aux enfants au cours des repas, ce qui leur fait absorber beaucoup trop de sucre. La pomme en elle-même est bonne – non épluchée, elle contient beaucoup de pectine, parfaite pour «escorter» le fructose dans le système digestif –, mais le jus de pomme ne l'est pas. Donc, comme le dit le vieux proverbe : «An apple a day keeps the doctor away» (une pomme par jour tient le médecin éloigné). Mangez des pommes, mais ne buvez pas de jus de pomme. Préparez-vous une boisson aux fruits en ajoutant un trait de jus de fruits à un verre d'eau gazeuse.

Les jus de légumes sont bien meilleurs, mais malheureusement, le jus de carotte, best-seller des magasins diététiques, ne figure pas sur la liste des aliments autorisés dans notre régime. La carotte a un index glycémique bien trop élevé. Le jus de betterave, considéré en général comme très bon pour la santé, est aussi riche en sucres variés. On m'a assuré qu'un milk-shake à la banane, préparé avec peu de lait et de la glace pilée, additionné de quelques fruits rouges, constituait un dessert d'été aussi savoureux que diététique. En réalité, la banane est un des fruits les plus sucrés qui soit.

Sans aucune connaissance en diététique, vous pouvez classer facilement les fruits et les légumes : plus leur goût est sucré et plus ils sont riches en sucre, c'est tout simple. La pastèque n'est pas bonne, la tomate un peu plus. Le jus de brocoli serait idéal pour qui accepterait d'en boire un verre tous les matins au petit déjeuner. Rassurez-vous, le régime Miami ne vous l'impose pas !

Mon régime Miami

Cathy : « Je n'ai jamais eu l'impression de manquer de quoi que ce soit. »

J'ai commencé à surveiller mon poids à l'âge de sept ans. À cette époque, ma sœur et moi passions les vacances d'été chez notre grand-mère. Dirigeant une entreprise, elle travaillait beaucoup et n'avait évidemment pas le temps de faire la cuisine. La maison regorgeait donc d'aliments tout préparés, et elle nous laissait aussi de quoi faire des courses, qui se terminaient toujours à la confiserie du coin. Ma sœur et moi revenions de ces vacances toutes rondes.

Depuis, je n'ai jamais arrêté de me bagarrer avec ces kilos en trop. J'ai dû faire tous les régimes existants, jusqu'aux stimulations thyroïdiennes, qui ont provoqué chez moi de sérieux problèmes. J'ai pratiqué le régime Weight Watchers, et j'ai perdu du poids, c'est vrai. Mais j'étais complètement obsédée par mon régime. Combien de ceci puis-je manger, et combien de cela, combien de fruits, combien de pain ? Je ne pensais plus qu'à ça, 24 heures sur 24, 7 jours sur 7.

Mon problème, c'étaient les gâteaux, les sodas et les confiseries. Je travaillais alors dans l'équipe du soir de l'hôpital et ne me couchais donc pas avant 4 heures du matin. Je mangeais au travail, parce que tous mes malades avaient des gâteaux et des confiseries. Ce n'est pas que j'avais faim, mais j'étais assez souvent fatiguée en fin de service. Et je grignotais des confiseries et des gâteaux en faisant une pause.

En rentrant chez moi, je m'en voulais d'avoir encore craqué pour des sucreries. Je me disais : « Bien, il faut maintenant manger quelque chose de bon pour la santé. » Je dînais donc avant d'aller me coucher. Tout ce que j'absorbais l'était entre 3 heures de l'après-midi et 3 heures du matin. Au réveil, je ne prenais qu'un café en guise de petit déjeuner, et je travaillais de 15 heures à 23 heures. Je sais qu'en principe, il vaut mieux éviter de manger après 20 heures, mais ces horaires de travail décalaient mon rythme de vie. Toute la soirée, je mangeais des chips et des bretzels, des biscuits, des fruits secs, des gâteaux. Du pain, du riz aussi. Et je me disais : « Je ne mange pas tant que cela », parce que je prenais de petites quantités à la fois. Mais tout le temps.

Avec six sodas par jour, j'absorbais aussi beaucoup de caféine. Des sodas light, bien sûr, sans sucre, mais pas sans caféine. Je n'ai appris que plus tard que la caféine stimulait mon appétit.

Je n'ai pas grossi brutalement, les kilos se sont installés petit à petit. Jusqu'au jour où ma mère, qui marchait derrière moi dans la rue, m'a rattrapée pour me dire : « Tu sais quoi ? Tu commences à te dandiner en marchant. »

C'est ce jour-là que j'ai décidé de me mettre au régime. C'était il y a deux ans et depuis, j'ai perdu 15 kilos que je n'ai pas repris. Ce qu'il y a de bien dans ce régime, c'est qu'il est facile à suivre. On peut l'adapter, on peut même tricher un peu. Moi, j'ai triché ; pas pendant les deux premières semaines, la phase stricte, mais après. Par exemple, on peut manger des pistaches entre les repas. Trente pistaches, pas plus, est-il précisé. Mais il m'est arrivé de ne pas compter.

À côté de cela, j'ai suivi ce régime comme je n'en avais jamais suivi. Je n'ai pas mangé de pain depuis deux ans, pas un grain de riz : c'est une question de *self-control. Je n'ai pourtant jamais eu le sentiment de me priver : ce régime autorise quand même beaucoup de choses et les résultats obtenus sont très motivants. Rentrer dans un magasin pour acheter du 42 plutôt que du 50, ça change la vie. Personnellement, ça me va très bien.*

L'an dernier, j'ai confié à la diététicienne de l'hôpital que je n'avais pas mangé de fruit, pas même une pomme, depuis plus d'un an. Elle m'a donc expliqué à nouveau le régime en détail, et je mange maintenant toutes sortes de fruits, beaucoup de légumes et de salades. Et j'ai beaucoup appris sur ce que je mange. Qui sait, par exemple, que le glutamate de sodium de la cuisine asiatique est préparé à partir de betteraves, très riches en sucres ? Ou que les carottes ont un index glycémique très élevé ? Personnellement, j'ai mangé énormément de carottes en étant au régime – j'en emportais même avec moi quand je voyageais. Je n'imaginais pas qu'elles puissent contenir tant de sucre, comme les oignons d'ailleurs, et donc faire grossir autant.

Ces temps-ci, soyons francs, j'ai repris quelques kilos. Je triche sur les noix de cajou, que je ne compte pas. Je les ai adoptées après avoir essayé les cacahuètes, les amandes et les pistaches. Les pistaches sont beaucoup plus petites que les amandes, on a donc droit à trente fruits au lieu de quinze. Mais en fait, toutes les variétés de noix contiennent aussi des sucres. Je pense que j'ai repris un petit peu de poids avec ces pistaches que je ne comptais plus.

Je ne me pèse pas tous les jours, il ne faut pas être obsédé par le poids que l'on s'est fixé. Il me suffit d'enfiler mes vêtements le matin pour savoir si j'ai maigri ou grossi. Si je m'aperçois que j'ai repris un peu, j'arrête les pistaches et les noix de cajou, et je reperds tout de suite du poids. J'ai trouvé un pâtissier qui fait des gâteaux au fromage blanc sans sucre, avec des édulcorants. Je les coupe en petites parts, que je conserve au congélateur. J'en mange quand j'ai envie de saveur sucrée, ce qui m'arrive deux ou trois fois par semaine le soir. Ça ne me fait pas grossir et je n'ai pas l'impression d'être tout le temps privée de dessert.

8

Manger donne faim

Manger donne… faim? Pourtant on mange pour *ne plus* avoir faim. C'est du moins ce qui est communément admis.

C'est à la fois vrai et faux. Manger supprime immédiatement la sensation de faim, mais certains aliments créent de nouveaux besoins et la sensation de faim augmente après les avoir absorbés. Littéralement, ces aliments donnent faim. Ce n'est pas une simple sensation, c'est une réalité que la médecine explique très bien.

Enseignant à Harvard, le professeur Ludwig a mené une étude au sein du service de pédiatrie de l'hôpital de Boston sur l'incidence du petit déjeuner sur l'appétit d'adolescents obèses.

Trois groupes d'adolescents ont été constitués, auxquels on a donné un petit déjeuner de même valeur calorique, mais de composition différente.

Le petit déjeuner du premier groupe comportait 20 % de lipides, 16 % de protéines et 64 % de bons glucides, en l'occurrence des flocons d'avoine au naturel contenant le germe du grain. Pour le deuxième groupe, on a simplement remplacé ces flocons d'avoine naturels par des flocons instantanés, dépourvus de fibres. Au troisième groupe, on a donné un petit déjeuner typique du régime Miami, une omelette aux légumes.

Tous les adolescents devaient ensuite manger tout ce dont ils avaient envie pendant les cinq heures qui suivaient le petit déjeuner.

Ce sont les adolescents du deuxième groupe, ceux qui avaient eu les flocons d'avoine instantanés, qui mangeaient le plus. Ce sont aussi ceux qui ressentaient la plus forte sensation de faim. Le premier groupe, qui avait eu des flocons d'avoine naturels, ressentait moins une sensation de faim et mangeait moins. C'est le troisième groupe, celui qui avait mangé l'omelette aux légumes, qui avait le moins faim dans les cinq heures qui suivaient le petit déjeuner, et naturellement qui mangeait le moins.

Cette étude n'est pas la seule à avoir mis en évidence le rôle des mauvais glucides, qui provoquent rapidement des sensations de faim, alors que les bons glucides, associés à de bons lipides (ce qui est le cas de l'omelette aux légumes) éloignent ces sensations. Nous verrons plus loin le mécanisme exact de ce phénomène, mais il faut insister sur ses conséquences : les aliments raffinés, riches en glucides et pauvres en fibres, provoquent une intense sensation de faim et une forte envie de glucides qui poussent à manger de nouveau, et ainsi de suite. Cet enchaînement mène tout droit à l'obésité et aux maladies cardio-vasculaires, dont il est difficile de nier qu'elles sont intimement liées.

Une étude similaire conduite avec des fruits est arrivée aux mêmes conclusions : les fruits entiers provoquent moins de sensation de faim que ceux en purée, eux-mêmes meilleurs que les jus de fruits. On a aussi constaté qu'à cet égard les haricots étaient préférables aux pommes de terre, les carottes crues aux carottes cuites, les céréales intégrales meilleures que les flocons de céréales, le riz complet que le riz précuit.

La réaction physiologique de nos organismes à l'absorption de glucides est maintenant bien connue : c'est l'hypoglycémie réactive. Je l'expliquerai en détail un peu plus loin, mais je voudrais d'abord vous relater une anecdote.

Pendant des années, je me suis senti un peu somnolent en milieu d'après-midi ; je n'arrivais plus à travailler, j'avais l'esprit vide. Régulièrement, j'allais prendre un café et un gâteau ; avec bonne conscience, car à l'hôpital nous avions des gâteaux allégés, donc à mes yeux bons pour la santé. En fait, dès que le mot «allégé» figure sur un emballage, on ne lit pas plus loin. En examinant de près la composition de ces gâteaux, on constate pourtant que si leur teneur en matières grasses est réduite, ils contiennent quantité de glucides, et pas des meilleurs.

Je me sentais beaucoup mieux après cette petite pause. Manifestement, mon organisme avait besoin de glucides, de sucre. Il le faisait savoir parce que son taux sanguin de glucose était descendu très bas. Le glucose, le sucre du sang, c'est le carburant de l'organisme, en particulier du cerveau, qui en a un besoin constant. Privé de glucose, on est pris de vertiges, puis d'évanouissements et cela peut aller jusqu'au coma et à la mort. Le diabète, c'est l'impossibilité pour l'organisme de transformer les aliments en glucose sanguin. C'est pour cette raison que l'on doit injecter quotidiennement de l'insuline aux diabétiques de type 1, qui sans cela ne vivraient pas longtemps.

Mon cerveau avait détecté un état hypoglycémique – un taux de sucre sanguin trop bas – et avait réagi en me donnant une sensation de faim et une envie de glucides. C'est cette réaction qui fait appeler ce phénomène l'hypoglycémie réactive.

Comment assimile-t-on les glucides ?

Nous avons vu que les glucides sont présents dans de très nombreux aliments, des légumes verts aux plus riches pâtisseries. Tous les glucides sont des sucres, qui se présentent sous différentes formes : la bière contient du maltose, le sucre en poudre du saccharose, les produits laitiers du lactose, les fruits du fructose.

Si on trouve des glucides partout, ce n'est pas en mangeant des brocolis que l'on supprime une envie de gâteaux. L'inverse est peut-être vrai, si tant est qu'on puisse avoir de terribles envies de brocolis.

Au goût, on voit tout de suite quels sont les aliments les plus sucrés et ceux qui libèrent leurs sucres le plus rapidement. Il est évident que l'ananas est plus sucré que le pamplemousse, par exemple, que le chocolat au lait libère ses sucres plus rapidement que le chocolat noir et que le pain de mie fait monter le taux de sucre dans le sang plus rapidement que le pain complet aux six céréales.

Plus l'aliment est riche en glucides, plus il est digéré rapidement et plus on sent ses effets sur l'organisme, surtout quand on est en hypoglycémie, ce qui est souvent le cas quand on a faim. Le mécanisme d'assimilation des glucides est cependant toujours le même, quelle que soit leur nature. La digestion transforme les glucides en glucose, le carburant de notre corps. Ce glucose, nous le brûlons ou nous le stockons. Il n'y a aucun problème pour tout ce que nous brûlons car cela prouve que nous avons une activité suffisante pour bien utiliser nos aliments. On peut admettre le stockage de petites quantités de glucose, mais guère plus. Au-delà, stocker le glucose signifie prendre du poids.

La digestion des glucides commence dès la mastication, avec l'action mécanique des dents et l'action chimique de la salive. Dans l'estomac, les aliments sont à nouveau broyés physiquement par l'estomac lui-même et transformés chimiquement par les sucs gastriques. La vitesse à laquelle les glucides des aliments sont assimilés dans ce processus digestif est très variable et dépend de nombreux facteurs. En gros, les glucides absorbés seuls sont assimilés très rapidement; associés à d'autres substances, ils sont digérés bien plus lentement.

Ralentir l'assimilation des glucides

Qu'est-ce qui peut donc s'opposer à une transformation trop rapide des glucides en glucose? Essentiellement les fibres. C'est ce que nous avons vu en comparant les effets des petits déjeuners composés de flocons d'avoine bruts ou de flocons d'avoine instantanés, dépourvus de fibres. Les premiers donnent beaucoup plus de travail au système digestif, principalement à l'estomac, qui doit séparer les fibres des nutriments.

Les fibres ne sont pas du tout digérées, elles traversent notre organisme sans rien lui apporter. Leur rôle est de ralentir la digestion, et en cela, elles sont essentielles.

Une étude récente a prouvé l'importance des fibres. On a donné à la moitié d'un groupe d'expérimentation des fibres alimentaires sous forme de mucilage (en l'occurrence du metamucil) quinze minutes avant le déjeuner. L'autre moitié du groupe prenait le même déjeuner, mais sans rien absorber avant. Dans les heures suivant le repas, le groupe qui avait pris le mucilage ne ressentait pas de sensation de faim comme l'autre groupe. Plus tard dans la journée, ce groupe mangeait moins que l'autre. Prises avant le repas, les fibres alimentaires se mélangent aux aliments et ralentissent leur digestion. Les glucides digérés lentement provoquent une sécrétion d'insuline plus faible, celle-ci induisant une baisse du taux de sucre sanguin très progressive, ce qui évite la sensation de «creux» provoquée par une hypoglycémie plus rapide.

Les fibres ne sont pas les seuls éléments susceptibles de ralentir la digestion des glucides. Les lipides sont efficaces aussi à cet égard. C'est pour cette raison que le groupe d'adolescents auxquels on avait donné une omelette au petit déjeuner était celui qui éprouvait le moins de sensation de faim quelques heures après.

D'autres facteurs sont aussi à prendre en compte. Les aliments acides, comme le jus de citron ou le vinaigre, ralentissent la digestion au niveau de l'estomac, l'intestin ne se remplissant alors que très progressivement. Assaisonner légumes et salades au citron ou au vinaigre, voire aux deux, présente donc quelques avantages. Le pain au levain, même s'il n'est pas très riche en fibres, ralentit aussi la digestion du fait de son acidité.

Il faut garder tout ceci à l'esprit quand on décide de se mettre au régime. Considérez les glucides riches en fibres comme de *bons* glucides, et certaines matières grasses comme de *bons* lipides. En pratique, tout ce qui ralentit l'assimilation des glucides est bon.

Comment notre organisme réagit à l'absorption de sucres

Une fois digérés par l'estomac, les aliments sont liquides et descendent dans l'intestin grêle, où des millions de capillaires les absorbent et les conduisent dans le sang. Ils passent alors par le foie avant de se diffuser dans tout le corps, où ils sont brûlés, stockés ou éliminés.

Examinons plus particulièrement les glucides. Comme nous l'avons vu, ils contiennent tous des sucres sous une forme ou une autre. Les amidons eux-mêmes sont constitués de chaînes de sucres, que la digestion sépare pour permettre leur assimilation. Ce qui nous intéresse ici, c'est la vitesse à laquelle l'organisme assimile ces sucres, vitesse qui peut varier assez considérablement.

Les sucres arrivant dans le sang sont détectés par le pancréas, qui sécrète alors de l'insuline, une hormone. L'insuline est chargée de faire « sortir » le sucre du sang vers les organes qui en ont besoin, soit pour le brûler, soit pour le stocker d'abord et le brûler ultérieurement. C'est à ce stade de l'assimilation des sucres que les diabétiques ont un problème : faute d'insuline, leurs sucres restent dans le sang et ne peuvent se diffuser dans leurs organes.

Le pancréas régule naturellement la quantité d'insuline nécessaire. Une importante arrivée de sucre dans le sang déclenche aussitôt une forte sécrétion d'insuline. Si le sucre arrive progressivement, la sécrétion d'insuline est elle aussi progressive.

Pour ce qui nous concerne – la prise de poids –, c'est le point important : un apport rapide de sucres dans le sang est catastrophique, un apport progressif bien meilleur. Voici pourquoi : quand l'assimilation des sucres est lente, le taux de sucre sanguin n'augmente que très progressivement. La sécrétion d'insuline est tout aussi progressive, elle fait donc redescendre lentement le taux de sucre sanguin. Cette descente lente ne provoque pas la sensation de faim que l'on ressent brutalement lorsque la baisse du taux de sucre sanguin est plus soudaine. C'est l'hypoglycémie réactive, que l'on évite quand les variations du taux de sucre sanguin sont progressives.

Le pancréas est conçu pour produire l'insuline en fonction du taux de sucre dans le sang. Un fort taux de sucre provoque donc une forte sécrétion d'insuline, qui fait baisser tout aussi brutalement le taux de sucre sanguin. Trop brutalement, le sujet se trouve en hypoglycémie et a instantanément une irrépressible envie d'aliments sucrés ou de féculents. Cette prise de sucres va déclencher une nouvelle sécrétion d'insuline, qui provoque une nouvelle baisse des sucres dans le sang, etc. Dans ce cercle vicieux, on mange naturellement beaucoup plus que nécessaire, et on prend donc du poids. L'insuline est moins efficace pour faire brûler les sucres par l'organisme : c'est la *résistance à l'insuline*, qui provoque encore une augmentation du stockage des sucres sous forme de graisses. C'est ainsi que l'obésité s'installe.

On peut éviter cet enchaînement de deux façons :
– en ne consommant que des aliments (ou des combinaisons d'aliments) qui modifient progressivement le taux de sucre sanguin et en évitant tous ceux qui provoquent des variations brutales de ce même taux ;
– en prévenant l'hypoglycémie avec des aliments appropriés : c'est un point très important, car on a besoin de beaucoup moins de nourriture pour prévenir l'hypoglycémie que pour en venir à bout.

Pour bien manger, il faut aussi connaître les aliments qui font monter le taux de sucre sanguin, dans quelle proportion et à quelle vitesse. Au début des années 1980, l'équipe canadienne du Dr Jenkins a mis au point une échelle de mesure à cet effet : c'est l'index glycémique, regroupant les *indices glycémiques* des aliments, des plus pauvres en glucides – épinards, lentilles, choux – aux plus riches – bière, pain blanc, sucre en poudre. L'essentiel de cet index est en pages 108-109. Vous ne serez pas surpris par ce classement, qui confirme ce que nous savons. Tous les aliments préparés avec de la farine blanche – pains, viennoiseries et pâtisseries – ont bien sûr un indice élevé. Les pâtes et le riz blanc étuvé sont aussi classés en tête de liste ; tout comme certains fruits, en particulier des fruits exotiques et des légumes comme les pommes de terre. Le maltose, le sucre de la bière, est le glucide qui agit le plus rapidement. Le fait que la bière, aliment liquide, soit digérée pratiquement instantanément n'arrange rien : la sécrétion d'insuline provoquée par l'absorption d'un demi de bière est considérable. On comprend maintenant pourquoi les buveurs de bière prennent rapidement du ventre…

Cet index glycémique, que l'on retient facilement, est précieux pour composer ses menus. Il faut cependant prendre en compte une autre donnée, tout aussi importante : les quantités d'aliments qui contribuent aussi à faire monter le taux de sucre sanguin. Prenons le cas des carottes : leur index glycémique est assez élevé, mais elles ne contiennent pas une grosse proportion de glucides par rapport à leur poids. Deux bottes de carottes, par exemple, n'ont guère plus d'effet sur votre métabolisme sanguin qu'une seule tranche de pain de mie.

La comparaison avec l'alcool est assez pertinente. Quand on boit, on fait naturellement monter son taux d'alcool dans le sang. Au-delà d'un certain taux, on est éméché, puis ivre. On sait que l'alcool agit plus rapidement quand on boit à jeun. Au contraire, quand on boit en mangeant, l'alcool met beaucoup plus de temps à agir. Mélangé à des aliments, il passe moins rapidement dans le sang et ses effets ne se manifestent qu'ensuite, notamment quand le sang irrigue le cerveau. Moins l'alcool passe rapidement dans le sang et moins ses effets sont sensibles.

Voyons maintenant ce qui se passe quand on mange des glucides, du pain par exemple. Si l'on mange du pain blanc, on n'absorbe aucune fibre avec nos glucides. C'est comme si on buvait l'estomac vide : les sucres du pain blanc vont être assimilés instantanément, puisque dépourvus des fibres qui ralentissent la digestion. Le taux de sucre dans le sang va donc monter d'un seul coup, déclenchant une forte sécrétion d'insuline, qui va le faire retomber brutalement, provoquant la sensation de faim que nous connaissons. Le pain blanc, c'est prendre un apéritif sans manger. Le pain complet, c'est l'accompagner d'amuse-bouches.

Les fibres ont d'autres effets bénéfiques. N'étant absolument pas assimilables par l'organisme, elles sont intégralement éliminées et favorisent donc le transit intestinal. La constipation, ce mal chronique des sociétés développées, est due avant tout à notre alimentation dépourvue de fibres.

Les fibres s'ajoutent donc aux matières grasses, aux protéines et aux éléments acides pour ralentir l'assimilation des sucres et des amidons. Il faut veiller à ce qu'au moins un de ces éléments soit présent dans chaque repas, pour ne pas absorber de glucides à jeun, en quelque sorte. Choisissez de bons aliments et associez-les convenablement, prévoyez des coupe-faim appropriés aux heures « stratégiques », vous éviterez ainsi toute hypoglycémie et suivrez le régime sans jamais avoir faim.

Une dernière anecdote, pour illustrer ces principes : un de mes patients était parti jouer au golf pendant sa première semaine de régime. Il n'avait pas préparé de déjeuner, il a décidé de prendre, pour une fois, un sandwich. Quelques heures plus tard, en pleine partie de golf, il a commencé à se sentir un peu faible, il n'arrivait plus à se concentrer sur son jeu. Il était en hypoglycémie et en était bien conscient, mais il n'a trouvé, au golf, que des morceaux de sucre pour calmer sa faim. Il s'est senti instantanément mieux après en avoir croqué quelques-uns… et s'est jeté sur un paquet de chips et une barre de chocolat sitôt rentré chez lui. Non qu'il ait perdu tout contrôle de lui-même : c'est le sandwich de son déjeuner qui avait provoqué cet enchaînement. Avec une salade de thon à midi, quelques noisettes et du fromage allégé l'après-midi, il aurait évité l'hypoglycémie et ses conséquences désastreuses sur son régime.

Mon régime Miami

Paul : « J'ai vidé mon armoire à pharmacie. »

Je pesais 116 kilos quand j'ai commencé le régime, il y a maintenant cinq ans. Depuis des années, je tentais de maigrir en suivant des régimes, tous les régimes. J'ai essayé Atkins – j'ai fait partie de ses patients à l'époque où il n'était pas célèbre. J'ai aussi essayé plusieurs régimes sans graisses, dont celui de l'Association des cardiologues américains. J'ai toujours perdu un peu de poids... et je l'ai aussi toujours repris.

J'ai commencé le régime Miami à soixante-huit ans et j'en ai soixante-treize aujourd'hui. Ancien gros fumeur, j'ai beaucoup grossi lorsque j'ai arrêté de fumer. Je n'ai jamais mangé énormément de sucreries, mais beaucoup du reste... Du pain à tous les repas. Et des pommes de terre, du riz, des pâtes, avec de la viande naturellement : mes repas étaient copieux ! Au fur et à mesure que j'ai grossi, les problèmes sont apparus. On a découvert un beau jour que j'étais diabétique. Ma tension était trop élevée, mes triglycérides et mon cholestérol aussi.

La première fois que j'ai consulté le docteur Agatston – mon cardiologue –, nous avons naturellement parlé de mes problèmes de poids et de leur incidence sur mon état. Le docteur Agatston m'a suggéré de me mettre au régime. Après en avoir tellement essayé, qu'est-ce que je risquais ? J'ai donc commencé le régime Miami.

Les tout premiers jours n'ont pas été très faciles. Je ne me sentais pas vraiment mal mais plutôt différent. Je planais un peu parce que j'avais changé complètement de façon de me nourrir et que j'avais faim. Mais au bout de trois jours, ça a été mieux, la faim a disparu. Je mangeais des quantités de légumes, de viande, de poisson. Beaucoup de poulet et des fromages. Mais jamais de pain, ni de pâtes ou de fruits.

Après ces deux premières semaines, j'ai commencé à réintroduire d'autres aliments dans mon régime. Quelques fruits, encore que de manger un fruit donne envie d'en manger un autre, et ainsi de suite. Il vaut mieux continuer à les éviter.

Je n'ai jamais plus mangé de pommes de terre, ce qui en fait ne me prive pas trop. Je crois d'ailleurs qu'y toucher un tant soit peu donne envie d'en manger plus. J'aime vraiment les pâtes, donc j'en fais de temps en temps, peut-être deux ou trois fois par mois; le riz, très occasionnellement. J'ai recommencé à manger du pain tous les jours, mais pas plus de deux ou trois tranches. Et je bois deux verres de vin rouge par jour.

Cela m'a pris un an, mais je suis quand même passé de 116 à 85 kilos. Ce régime m'a fait perdre 31 kilos en cinquante semaines. Et depuis quatre ans, je suis resté parfaitement stable à 85 kilos, sans effort. Une seule fois, j'ai repris un peu de poids, 4 kilos. Je me suis remis à la phase 1 et je les ai tout de suite reperdus.

Mais surtout, avec ce régime, j'ai vidé mon armoire à pharmacie. Je prenais des médicaments contre le diabète, contre l'hypertension, contre le cholestérol. Tout cela a disparu de mon existence, les médicaments aussi.

L'INDEX GLYCÉMIQUE

Ce tableau donne l'index glycémique des aliments les plus courants, groupés par genre. À l'intérieur de chaque groupe, les aliments sont classés par ordre alphabétique.

L'index glycémique d'un aliment exprime l'augmentation du taux de sucre dans le sang que l'ingestion de cet aliment entraîne. Plus le chiffre est bas, moins votre taux de sucre sanguin augmente ; il redescend aussi moins rapidement. On a également constaté que les aliments à faible index glycémique étaient ceux qui rassasiaient le plus, et le plus longtemps.

En **phase 1**, il ne faut manger que des aliments à index glycémique bas. En **phase 2**, on peut réintroduire quelques aliments à index un peu plus élevé. Cependant, l'index glycémique n'est pas tout. Par exemple, le lait écrémé et les cacahuètes enrobées de chocolat ont le même index glycémique, mais le lait écrémé est un bien meilleur aliment, c'est donc lui que vous devez choisir.

VIENNOISERIES

Beignet 108
Croissant 67
Flan 93
Gâteau de Savoie 46
Gaufre 76
Muffin 58
Pain d'épices 80
Quatre-quarts 77

BOISSONS

Cola 63
Soda 68
Lait de soja 43
Jus de pomme (sans
  sucre ajouté) 57
Jus d'ananas (sans
  sucre ajouté) 66
Jus de pamplemousse
  (sans sucre ajouté) 69
Jus d'orange (sans
  sucre ajouté) 53

PAINS

Baguette 95
Pain à hamburger 87
Pain au son
  d'avoine 68
Pain blanc 101
Pain complet 77
Pain de seigle 50
Pain multicéréales 69
Pain sans gluten 90
Pain suédois 81
Pita 57
Pizza au fromage 60

CÉRÉALES

Céréales nature 30
Céréales chocolatées 77
Corn flakes 84
Flocons d'avoine 40
Müesli 56
Pop-corn 55
Riz soufflé 82

FARINES ET
  FÉCULENTS

Blé noir 54
Boulgour 48
Couscous 65
Farine de sarrasin 40
Farine pour pain
  noir 76
Farine T 55 75
Fécule de pomme de
  terre 95
Farine de maïs 70
Millet 101
Riz basmati 58
Riz blanc précuit 87
Riz brun 56
Semoule 55
Son de riz 19
Tapioca 80
Tapioca (cuit
  au lait) 115
Pâtes blanches cuites 55
Pâtes de riz 95
Blé dur précuit 45
Pâtes complètes 40

GÂTEAUX SECS
  SALÉS ET SUCRÉS

Biscuit 55
Cookie 60

Biscotte 113
Cracker 106
Chips 57

PRODUITS
  LAITIERS

Glace 61
Lait chocolaté aux
  édulcorants 20
Lait écrémé 32
Lait entier 27
Yaourt allégé aux
  fruits 33
Yaourt maigre aux
  édulcorants 14

FRUITS

Abricot 57
Abricot au sirop 64
Abricot sec 31
Ananas 66
Banane 55
Cerise 22
Datte 103
Kiwi 52
Mangue 86
Melon 65
Orange 44
Pamplemousse 25
Papaye 58
Pastèque 72
Pêche 30
Pêche en conserve
  (sans sucre ajouté) 42
Pêche au sirop 58
Poire 38
Poire en conserve
  (sans sucre ajouté) 43
Pomme 36

108

Prune 39
Raisin 46
Raisin sec 64

LÉGUMES
Aubergine 10
Betterave 64
Carotte 49
Champignon 10
Fève 79
Haricot beurre, haricot vert 30
Igname 51
Maïs doux 70
Navet 70
Panais 97
Patate douce 48
Petits pois 48
Poivron 10
Pomme de terre au four ou frites 95
Pomme de terre bouillie sans peau 70
Pomme de terre bouillie avec peau 65
Pomme de terre : purée instantanée 86
Salade 10
Potiron, citrouille 75
Rutabaga 72
Soja 18
Tomate 10

LÉGUMES SECS
Haricot blanc 30
Haricot de soja 15
Haricot rouge 40
Haricot rouge en conserve 52
Lentilles 22
Pois cassés 22
Pois chiches 33
Pois chiches en conserve 42

SUCRERIES
Barre chocolatée 44
Barre de céréales 60
Barre de müesli 61
Bonbon gélifié 80
Chocolat noir à + 70 % de cacao 22
Confiture 65
Fructose 20
Glucose 100
Miel 58
Pop-corn 55
Saccharose 65

9

Devenons-nous tous diabétiques ?

Je vois tous les jours quantité de victimes de la véritable vague d'obésité et de troubles cardiaques qui sévit
actuellement. Vous en croisez aussi, sans le savoir.

Ces gens se trouvent dans ma salle d'attente, évidemment, mais aussi dans la rue, à la plage, chez des
amis, en vacances, dans les grands magasins. Je les ren-
contre en fait partout où je vais. Ils sont faciles à reconnaître : tous ont du ventre, même ceux qui ne sont pas
du tout gros par ailleurs. Cette proéminence abdominale
est caractéristique de ce type d'obésité, dite « androïde »
(parce qu'elle touchait naguère plus souvent les
hommes), par opposition à l'obésité « gynoïde » (concernant plutôt les femmes), qui affecte le bas du corps, les
hanches, les fesses et les cuisses.

On désigne souvent ce type d'obésité par un euphé-
misme : le « bide » ou la « brioche », sans y attacher
d'importance. Cette « brioche » est pourtant un signe
annonciateur de graves troubles, en particulier de mala-

dies cardio-vasculaires. Bien souvent, je me retiens pour ne pas proposer systématiquement une consultation d'urgence en cardiologie à tous les gens qui ont pris du ventre. Je passe pour un intégriste du ventre plat, tant le mal est grave et répandu, alors qu'il est si facile à guérir avec un régime, de l'exercice et quelques soins.

Quand j'interroge mes malades sur leurs antécédents familiaux, ils me citent souvent un de leurs parents ou de leurs grands-parents atteints de diabète à un âge avancé, soixante-dix à quatre-vingts ans. « Mais c'était le diabète sucré », précisent-ils tout de suite, « ils ne prenaient même pas d'insuline » (le terme de « diabète sucré » n'est plus vraiment d'actualité, on parle aujourd'hui de « diabète gras », le diabète de type 2).

Mes patients ne se rendent pas compte que la maladie est en eux, silencieuse mais potentiellement mortelle ; et que des années plus tard, ils seront touchés par l'insuffisance coronarienne ou l'infarctus. La prédisposition au diabète est en effet souvent héréditaire, sa première manifestation étant une sérieuse prise de poids vers la quarantaine, bien avant que n'apparaisse la hausse du taux de sucre sanguin.

On me demande souvent quel est le rapport entre le diabète et les maladies cardiaques. Le lien entre les deux a été établi il y a plus d'une dizaine d'années, quand on s'est aperçu que la moitié des victimes de crise cardiaque avaient développé ce que l'on a appelé alors le « syndrome métabolique », puis « syndrome de résistance à l'insuline ». Nous ne connaissons ce syndrome que depuis 1989, et nous en apprenons tous les jours. Appelons-le « état prédiabétique », parce c'est exactement ce à quoi il correspond. S'il n'est pas soigné à temps, il se transforme en diabète de type 2 tout à fait classique.

Aujourd'hui, un peu plus de 47 millions de personnes – près d'un Américain sur cinq – est prédiabétique. Chez les victimes de crises cardiaques, ce pourcentage est très supérieur : dans mon service, un patient sur deux est touché.

La liste des critères qui définissent l'état prédiabétique est la suivante :
– taux de cholestérol élevé ;
– rapport défavorable entre bon et mauvais cholestérols ;
– tension artérielle élevée ;
– obésité abdominale ;
– taux de triglycérides élevé.

Personnellement, j'y ajouterai :
– le mauvais cholestérol (LDL) en particules de petite taille.

Ces critères, précurseurs du diabète, sont aussi associés aux risques cardiaques. Bien sûr, il faut également tenir compte de la génétique, car une prédisposition est aussi un facteur de risque ; mais les mauvaises habitudes alimentaires le sont tout autant.

Même si ce n'est pas simple, il est essentiel de bien comprendre pourquoi les maladies cardio-vasculaires et le diabète sont étroitement liés. C'est ce que je vais essayer de vous expliquer.

Qu'est-ce que le diabète ?

La plupart des gens définissent le diabète comme une incapacité à assimiler convenablement les sucres et les amidons. Notre organisme, en digérant les aliments, transforme tous les glucides en glucose, le sucre du sang. Le pancréas détecte ce glucose et produit aussitôt de l'insuline, une hormone. Celle-ci permet à nos organes – le foie, le cerveau – et à nos muscles de prendre dans le sang le glucose dont ils ont besoin pour fonctionner et d'en stocker pour un usage ultérieur. Le corps consomme sans cesse du glucose, qui lui est indispensable. Le manque de glucose ou hypoglycémie va jusqu'à provoquer le coma, puis la mort. On peut comparer les cellules à de petites boîtes fermées, dont l'insuline serait la clef. Si la cellule est fermée, le glucose ne peut entrer et reste donc dans le sang, ce qui peut provoquer de sérieux dommages.

Ce que l'on sait moins, c'est que le diabète n'est pas seulement l'incapacité à assimiler les glucides, mais aussi les lipides.

Quand nous mangeons des matières grasses (qu'elles soient végétales ou animales, de viandes ou de produits laitiers), l'insuline assure aussi la migration des acides gras, les composants des lipides, vers les organes et les muscles, où ils sont utilisés ou stockés sous forme de triglycérides ou de gras, tout simplement.

Le diabète est donc une incapacité à gérer convenablement notre «carburant» fourni par les aliments. L'obésité aussi est un problème de gestion de nos aliments. Elle est due à des facteurs génétiques ou à des modes de vie, ou aux deux. Notre organisme est programmé pour stocker des réserves, tout simplement parce que pendant des milliers d'années, la question essentielle était de se nourrir jour après jour, ce qui n'était pas toujours facile. Les périodes de disette succédant aux périodes d'abondance, le corps stockait des aliments quand ils étaient en quantité suffisante, sachant qu'il devrait peut-être jeûner le lendemain. Et il les stockait dans l'abdomen, parce que ses membres devaient rester minces et musclés : ils servaient à se battre, à chasser ou à fuir.

Notre civilisation a éliminé la famine, ce dont personne ne se plaint... sauf notre tour de taille et notre cœur, qui souffrent aujourd'hui de toute cette graisse stockée en pure perte. Si notre organisme éliminait tout le superflu, ce serait idéal, malheureusement, ce n'est pas le cas.

Les caractéristiques particulières de nos cellules grasses rendent le stockage des lipides d'autant plus dangereux. Quand on prend du poids, on ne multiplie pas ses cellules grasses – depuis l'enfance, leur nombre reste constant –, c'est leur taille qui augmente. Les cellules elles-mêmes engraissent. C'est ce qui rend l'insuline inefficace : elle ne peut plus «ouvrir» une cellule déjà trop grosse, saturée de lipides. Trop manger pour une personne en surpoids équivaut à essayer de mettre de l'essence dans un réservoir déjà plein : l'excédent s'écoule à l'extérieur. Dans notre corps, l'excédent – de graisses comme de sucres – continue à circuler dans le sang plus longtemps qu'il ne le devrait. Quand l'organisme n'arrive plus à transférer normalement le glucose et les acides gras du sang vers les organes et les muscles, le diabète est là. Et un diabète qui n'est pas soigné peut entraîner la mort.

Il existe deux types de diabète, qui diffèrent sur de nombreux points.

Le diabète de type 1 apparaît pendant l'enfance ou l'adolescence chez les sujets dont le pancréas fonctionne mal, sans que l'on sache pourquoi – peut-être à cause d'un virus. La sécrétion d'insuline est insuffisante pour « ouvrir » les cellules, le glucose et les acides gras ne peuvent se diffuser dans l'organisme. On ne peut pas soigner le pancréas, on traite donc ce diabète en injectant quotidiennement de l'insuline au malade. Pour le diabétique de type 1, il est donc très important de bien se nourrir, de mesurer régulièrement son taux de sucre sanguin, et d'avoir toujours avec soi une seringue d'insuline, médicament vital en la circonstance.

Le diabète de type 2, ou diabète gras, n'apparaît en général que chez les adultes. Pas de virus ici, le diabète gras n'est dû qu'à notre mode de vie : mauvais régime alimentaire et manque d'exercice. Bien sûr, on peut être génétiquement prédisposé au diabète et c'est le cas de beaucoup d'entre nous. Les prédispositions ne sont que des *potentialités*, elles ne se concrétisent que si l'on se nourrit mal sans jamais faire d'exercice. On ne peut pas changer son patrimoine génétique. En revanche, on peut changer ses habitudes alimentaires et prévenir avec succès l'apparition du diabète gras.

Deux diabètes donc, qui n'ont de commun que le nom, leur origine n'étant pas du tout la même. Dans le type 1, le pancréas ne produit *pas assez* d'insuline. Dans le type 2, il en produit *trop*, parce que la graisse accumulée l'empêche d'agir efficacement. Le taux de sucre sanguin ne descend donc pas comme il le devrait et le pancréas continue à sécréter de l'insuline en quantité. Quand celle-ci parvient finalement à « déverrouiller » les cellules, le taux de sucre sanguin, très élevé, baisse brutalement. On a aussitôt de vives sensations de faim, on mange donc encore plus, ce qui provoque les mêmes effets : c'est un cercle vicieux qui n'en finit pas.

Vous savez maintenant pourquoi les obèses mangent trop et pourquoi les glucides, au lieu de rassasier, poussent à manger davantage. Mais pourquoi l'obésité et le diabète gras, ou même le prédiabète, augmentent-ils à ce point le risque de maladies cardio-vasculaires ?

Le cœur et le diabète

Nous avons vu que l'obésité n'était pas due à une multiplication des cellules grasses. Leur nombre reste à peu près constant, même quand on prend beaucoup de poids. C'est la taille des cellules qui change, les cellules grasses prenant de l'ampleur. L'insuline ne parvient que difficilement à s'attacher à ces cellules pour les « ouvrir » et leur permettre d'absorber le glucose et les triglycérides. C'est pour cela que les obèses, voire les gens en surpoids, ont trop de sucre et de graisses dans le sang par défaut d'assimilation des lipides et des glucides.

Ce défaut d'assimilation aggrave à son tour d'autres facteurs de risque, ceux dont nous avons vu qu'ils correspondaient à un état prédiabétique : tension artérielle élevée, taux de triglycérides et de mauvais cholestérol élevés, rapport entre bon cholestérol et cholestérol total défavorable, et mauvais cholestérol présent sous forme de particules de petite taille, celles qui sont dangereuses.

L'insuline ne fonctionnant pas convenablement, les lipides restent dans le sang plus longtemps qu'il ne faudrait. Le sang chargé en acides gras circule dans le foie, qui répond en sécrétant des éléments qui provoquent le dépôt de ces acides gras sur les parois des artères. C'est la crise cardiaque assurée.

Voilà le lien entre le surpoids et les maladies cardiaques. Le sucre n'est pas dangereux en soi. Le problème, c'est qu'il affecte nos capacités à métaboliser les graisses. Le croissant-confiture ne provoque pas de crise cardiaque, mais il contribue à créer les conditions qui y mènent tout droit. En elle-même, l'obésité n'affecte pas le système cardio-vasculaire. Elle est simplement le signe d'un dérèglement des paramètres sanguins qui, lui, risque d'être fatal.

Aujourd'hui, le diabète gras touche des gens de plus en plus jeunes, jusqu'à des adolescents ! Génétiquement, nous ne sommes pourtant pas différents des générations qui nous ont précédés, mais notre mode de vie n'est plus du tout le même. S'il est vrai qu'une partie de la classe moyenne s'inscrit volontiers dans les clubs de gymnastique ou achète des home-trainers, il faut bien admettre que nous faisons beaucoup moins d'exercice que nos grands-parents. Leur travail était plus physique et ils se faisaient moins aider à la maison et au jardin. Ils marchaient par ailleurs sans doute beaucoup plus que nous.

Chez les plus jeunes, l'exercice physique disparaît presque complètement. La tendance, ici, est à la construction d'écoles dépourvues de cour de récréation : plus de jeux ni de sports entre les cours, ce qui est désastreux. La gymnastique est sacrifiée au profit des autres matières. Les loisirs privilégiés des jeunes : télévision, Internet et jeux vidéo n'arrangent rien.

Plus que le manque d'exercice physique, ce sont nos habitudes alimentaires qui sont en cause. Nous consommons de plus en plus d'aliments tout préparés, que ce soit au restaurant – au fast-food serait plus exact – ou à la maison. Ces aliments ne sont pas seulement de goût médiocre, ils sont très inférieurs aux produits « bruts » quant au contenu en fibres, en nutriments, en oligo-éléments, etc. En pratique, nous mangeons des aliments déjà prédigérés par l'industrie qui les fabrique.

Nous avons pris conscience depuis peu des dangers des aliments industriels et de leur incidence sur la vague d'obésité qui sévit actuellement. Les époques de disette, voire de famine, ne sont au fond pas si lointaines. Il n'est donc pas étonnant que la richesse du pays se soit d'abord traduite dans ses assiettes. C'est l'industrialisation de l'alimentation qui a aggravé les choses : aujourd'hui, aux États-Unis, *la moitié* des repas servis au restaurant viennent des fast-foods.

Il y a seulement cinquante ans, les aliments étaient très différents de ceux que l'on trouve aujourd'hui. On cuisait le pain chez soi, ou on l'achetait chez un boulanger, pas au supermarché. Il s'agissait de pain préparé avec tout le grain du blé, et non avec de la farine archiraffinée, la plus blanche possible. Les plats tout prêts n'existaient pas, ou marginalement, on prenait donc le temps de préparer des produits « bruts » et de les cuisiner. On devait cuire le riz assez longtemps, car le grain était encore pourvu d'une bonne partie de ses enveloppes, donc riche en fibres. Les pommes de terre étaient de vrais légumes, pas des boîtes de poudre, de flocons ou de cubes épluchés, précuits ou surgelés. Les repas des enfants ne se limitaient pas à ce qu'on pouvait réchauffer au micro-ondes. On mangeait également beaucoup de produits frais, achetés quotidiennement, car les plats « longue conservation » n'existaient pas.

On ne se gorgeait pas de sucre comme aujourd'hui à tous les repas, du petit déjeuner de céréales sucrées aux gâteaux de fin de soirée. Et on ne consommait pas à longueur de journée toutes les glaces et les confiseries que les industriels nous proposent, barres de chocolat ou de céréales, pop-corn, guimauve…

On sait aujourd'hui que bien des produits «diététiques» actuels, s'ils ont été créés avec de bonnes intentions, sont inefficaces contre le surpoids. Examinez la composition des produits à 0 % de matière grasse, et vous verrez que les lipides ont été remplacés par des glucides, toujours très raffinés. Considérez le nombre de produits «enrichis» en ceci ou en cela, «vitaminés», «améliorés». Les processus de fabrication leur ont ôté vitamines, fibres et nutriments essentiels… qu'il a fallu rajouter ensuite !

Je me suis rendu compte que les mauvaises habitudes alimentaires de mes patients étaient celles de tout un chacun. En mangeant n'importe quoi n'importe comment, nous nous sommes infligés à nous-mêmes cette «épidémie» galopante de troubles cardiaques. Il faut savoir que les conséquences d'une mauvaise alimentation sur notre santé n'apparaissent vraiment que vers la cinquantaine. Le mal, lui, s'est répandu invisiblement et silencieusement dans l'organisme pendant des dizaines d'années, préparant le pire.

Ce grave problème de santé publique n'est pourtant pas une fatalité. Le remède est le même que celui que je propose aux millions de gens atteints de surpoids qui ne se soucient pas de l'état de leur système cardio-vasculaire. C'est le régime décrit ici, pratique et facile à suivre, en réalité plus un mode de vie qu'un régime. Si ce sont surtout les obèses qui se sentent concernés par ce régime, il a été étudié avant tout pour les cardiaques. L'aspect physique et le fait de bien se sentir dans sa peau comptent beaucoup, c'est vrai. Mais un cœur en bonne santé reste primordial, et même vital dans le cas qui nous concerne.

Mon régime Miami

Judy : « Je suis passée du 62 au 52. »

J'ai cinquante-cinq ans et suis divorcée. Il y a un an, je pesais 193 kilos. L'obésité est familiale. Du côté de ma mère, tous les parents et leurs aînés – curieusement, seulement les aînés, donc moi – sont obèses. Quand j'étais jeune, j'étais assez mince, jusqu'à mes deux grossesses. J'ai pris pas mal de poids à cette époque, j'ai ensuite fait le yo-yo au fil des régimes. J'arrivais toujours à perdre du poids – une fois même jusqu'à 50 kilos – mais je le regagnais toujours.

Je ne mangeais pas au petit déjeuner. Je ne buvais ni café ni alcool, je ne fumais pas. De toute la matinée, je ne prenais absolument rien et pour déjeuner, je mangeais ce qu'avaient commandé mes collègues de bureau, des pizzas, des nouilles chinoises ou des hamburgers. À vrai dire, je ne me souciais pas de ce que je mangeais. J'aimais bien les pâtes tout de même.

Après le déjeuner, je ne prenais plus rien jusqu'au dîner, rien de tout l'après-midi. Pour dîner, de la viande, des légumes, de la salade et un féculent, pâtes ou pommes de terre, parce que je n'ai jamais vraiment apprécié le riz. J'aimais bien aussi les gâteaux, les pizzas et les sandwichs. Je préférais prendre un sandwich que de m'asseoir à table pour manger un steak-frites. Je ne mangeais pas de bonbons, ni de sucreries, et ne buvais pas de sodas – je n'avais jamais soif, ce qui est un problème.

Tout le monde me harcelait : « Fais donc Weight Watchers », « Essaye le régime Jenny Craig », etc. J'ai tout essayé. Puis un jour, j'ai remarqué qu'une des *filles du bureau avait sacrément changé. «Tu as l'air en pleine forme», lui dis-je. «Je viens de me mettre au régime du docteur Agatston», me répondit-elle. Elle m'en a donné une copie, et c'est comme cela que j'ai commencé. C'était il y a un an et depuis, j'ai perdu 67 kilos.*

Pourtant, quand j'ai vu que ce régime excluait presque tous les glucides, je n'ai pas cru pouvoir le suivre. Et puis, je me suis dit que je le devais. J'ai donc commencé à faire le ménage dans la cuisine. Plus de pain, plus de lait, plus de pâtes – j'en avais au moins une vingtaine de boîtes en permanence à la maison et les ai toutes jetées. J'ai dit à ma fille : «Si tu as envie d'un sandwich, va acheter un pain pour te le préparer, je préfère ne pas en avoir à la maison.» Et je n'en ai jamais racheté.

Je dois reconnaître que le pain me manque beaucoup. Certains jours, j'ai de terribles envies de tartines beurrées. J'arrive tout de même à résister parce que je sais que si je commence, je ne pourrai pas m'arrêter. Ces dernières semaines, je me suis surprise à tricher un peu. J'essayais une bouchée de ceci ou de cela, des choses que je n'aurais jamais goûtées en temps normal. J'ai demandé à une collègue si elle avait remarqué quelque chose de différent dans mon comportement. «Oui», me dit-elle, «avant, tu n'aurais jamais pris ne serait-ce qu'une bouchée de quelque chose que tu ne connaissais pas. Et maintenant, tu essayes un peu tout.» C'est entendu, j'ai un peu triché. Mais je suis heureuse de m'en être rendu compte. Je sais que je vais devoir faire attention aux glucides en permanence.

Le premier jour, tout s'est très bien passé. Je me suis dit que je devais me mettre au régime, que c'était ma dernière chance. Je m'y suis mise, et je m'y suis tenue.

J'ai tout de suite vu la différence, dès la première semaine. Six semaines plus tard, j'avais perdu 25 kilos. J'ai réintroduit alors un peu plus de légumes et quelques fruits dans mon régime et j'ai mis de la mayonnaise sur le thon. J'ai pris soin de ne pas toucher aux féculents ou aux céréales, même en petites quantités. De temps en temps, je m'accorde un petit morceau de pain, mais c'est rare. Je choisis les restaurants en fonction de ce qu'ils servent. Je n'irais pas dîner chez un Italien, ce serait du suicide. Les restaurants asiatiques sont très bien, du moins ceux qui n'utilisent pas de glutamate de sodium. On peut choisir les viandes, les légumes ou les fruits de mer qu'on fait sauter au wok, c'est excellent. Comme j'adore les fruits de mer, je ne me prive pas de crabe, de moules et de crevettes. Avec des haricots verts ou des pois gourmands à l'ail et du thé sucré à l'édulcorant, voilà un repas délicieux. C'est une gourmandise que je m'offre deux fois par semaine.

Je ne fréquente plus du tout les fast-foods car il n'y a rien là qui me convienne. Une fois par mois, je m'offre quand même une douceur au fast-food : un yaourt maigre aux fruits. Je sais qu'il contient des glucides, mais je le mange quand même. On ne parle jamais des glucides des produits « maigres » qui sont par définition considérés comme bons pour la santé. Il faut lire attentivement la composition de tous ces aliments « allégés » avant de les acheter. J'achète des bonbons sans sucre, aux édulcorants, et j'en prends quand j'ai une trop forte envie de goût sucré. Ça me passe l'envie, et c'est inoffensif. Je ne bois que des sodas « light » et prends une tasse de café (sans sucre...) par jour.

Maintenant, je mange au petit déjeuner. Pas énormément, mais un ou deux œufs avec une tranche de bacon maigre, ou du fromage allégé accompagné d'une tomate en tranches. Et la matinée passe sans problème.

Évidemment, j'ai supprimé le pain et les viennoiseries. Avec un sandwich au thon, je mangerais peut-être un petit morceau de pain, mais il est vraiment rare que je m'accorde ce plaisir, car je sais ne pas pouvoir me le permettre. Même en faisant attention, je fais encore le yo-yo sur 5 kilos depuis trois mois. Il faut dire que j'ai passé trois semaines de vacances dans la famille, avec un mariage, un baptême et les fêtes de fin d'année. Eh bien, je n'ai pas repris un kilo, pas un seul.

Au mariage, j'ai mangé du saumon et de la salade mais pas de pièce montée. Tout s'est bien passé. Pour les fêtes, mon beau-frère m'avait préparé des aubergines et j'ai mangé la salade du dîner. J'ai évité la dinde farcie et les pommes de terre, bien sûr. Mes proches m'aident beaucoup. Je ne rentre pas chez moi aussi souvent que je le voudrais, mais c'est un plaisir de retrouver tout le monde avec chaque fois des kilos en moins (j'en ai perdu jusqu'à 30 entre deux séjours). En passant récemment dans ma famille, j'ai rencontré un vieil ami, qui ne m'a pas reconnue : la dernière fois que je l'avais vu, je pesais 60 kilos de plus. Nous nous sommes croisés et d'un coup, il s'est retourné : « Judy ? Tu fais trente ans de moins que l'été dernier ! » Je l'ai embrassé de bon cœur.

Je sais que j'ai encore un peu de chemin à faire, parce que je suis encore trop grosse. Mais j'ai perdu dix tailles avec ce régime, passant du 62 au 52. Aucun autre régime ne m'avait permis d'obtenir cela.

10

Manger au restaurant

Le régime Miami a l'immense avantage d'être facile à suivre même en sortant souvent. Ce qui n'est pas le cas de tous les régimes, loin s'en faut : inutile d'espérer tenir longtemps s'il faut toujours faire la cuisine soi-même. Tous ceux qui ont suivi régime sans matières grasses ont été confrontés un jour ou l'autre au dilemme du dîner au restaurant. On doit alors soumettre le maître d'hôtel à un interrogatoire en règle : «Comment est préparé le poulet sauté?» «Qu'y a-t-il dans la vinaigrette?» Sinon, il ne reste plus qu'à apporter sa nourriture, si le restaurant n'y voit pas d'inconvénient. Et c'est toujours un triste spectacle de voir des adultes a priori en bonne santé le nez dans des Tupperwares de salades, tandis que les autres convives se régalent de tourte de canard ou de saumon à l'oseille !

Depuis une vingtaine d'années, on mange plus légèrement et plus sainement au restaurant. Les grillades ont remplacé les fritures et les légumes frais les pommes de terre. On sert de plus en plus de poissons, et les chefs privilégient l'huile d'olive. Suivre le régime Miami au restaurant n'est donc pas difficile, comme nous allons le voir.

Il faut naturellement toujours surveiller ce que l'on mange, même si le restaurant est une bonne occasion de se faire un petit plaisir, ce qui aide à se modérer le reste du temps. Voici quelques «trucs» pour vous permettre de déjeuner en ville ou de passer une bonne soirée sans risque pour votre régime : ce sont très souvent des patients qui nous ont fait partager leur expérience.

Vous pouvez déjà tout simplement prendre quelque chose *avant* le repas. Un morceau de fromage allégé, par exemple, facile à emporter. Mangez-le un quart d'heure avant de vous mettre à table, vous aurez moins faim au moment de passer votre commande. Et surtout, ne vous jetez pas sur la corbeille de pain ! C'est le piège classique au restaurant : vous vous installez à table, vous commandez, vous avez très faim, et vous attendez l'entrée, parfois assez longtemps. Difficile de résister alors au pain frais qui est sur la table. Il faut pourtant absolument éviter de manger du pain (blanc la plupart du temps) au début du repas. Non seulement il ne vous rassasie pas, mais, comme nous l'avons vu précédemment, en faisant monter votre taux de sucre dans le sang, il va vous donner faim toute la soirée.

Les gens au régime demandent souvent au serveur de ne pas apporter de pain. Si les autres convives n'y voient pas d'inconvénient, c'est une bonne solution. Vous pouvez aussi demander à tout le monde de se servir, puis faire enlever la corbeille.

Une bonne formule consiste à commencer votre repas avec un bouillon ou un consommé, s'il y en a à la carte. De par son volume, un consommé donne immédiatement une sensation de satiété. L'estomac déjà à moitié plein, vous mangez moins ensuite, et surtout moins vite. Il faut savoir que bien souvent, nous mangeons trop parce que nous mangeons trop vite. Entre le moment où l'estomac est plein et celui où la sensation de plénitude arrive au cerveau, il s'écoule environ vingt minutes. Si l'on avale trop vite, on continue à manger pendant ces vingt minutes pour arriver d'un seul coup à une sensation de trop-plein.

Un consommé en début de repas est donc une excellente entrée, comme tout ce qui coupe la faim avant l'arrivée du plat principal : avec un bol de consommé dans l'estomac, on mange toujours moins et moins vite.

Si le pain proposé est du pain complet, vous pouvez vous en offrir un petit morceau. N'hésitez pas alors à l'associer à une matière grasse, pour ralentir sa digestion. Vous pouvez tremper votre pain dans de l'huile d'olive par exemple, ou étaler un peu de beurre dessus. Cela peut paraître paradoxal, mais quand on est au régime, le pain accompagné d'huile ou de beurre est meilleur que le pain sec. D'abord parce qu'il rassasie beaucoup mieux, ensuite parce qu'il est digéré plus lentement et n'entraîne donc pas de pic d'insuline.

La cuisine méditerranéenne est bonne pour la santé, nous le savons tous aujourd'hui. Privilégiez donc les tables méditerranéennes pour sortir. Pas nécessairement les restaurants italiens, car il est difficile d'y éviter les pâtes. La cuisine grecque ou libanaise, à base d'huile d'olive, n'est pas mal du tout pour qui suit le régime Miami. Le hoummous, par exemple, cette délicieuse purée de pois chiches, dégusté avec un pain pita, le pain libanais en galette, est déjà un *énorme* progrès par rapport à notre pain-beurre. Le couscous et surtout le boulgour remplacent avantageusement les pommes de terre et le riz. Il n'y a pas non plus de sauces sucrées dans cette cuisine, qui utilise plutôt les herbes et les épices pour relever les plats.

Si vous tenez absolument à la cuisine italienne, choisissez un restaurant de véritables spécialités. On commence par des pâtes, mais seulement une petite assiette, accompagnées d'une bonne sauce tomate ; vient ensuite le plat principal, viande ou poisson, toujours accompagné de légumes frais – épinards, brocolis, haricots verts, fonds d'artichauts – et d'une salade assaisonnée à l'huile d'olive. Les Italiens ne s'attablent pas devant une énorme marmite de pâtes accompagnées de pain, c'est pour cela qu'ils peuvent en manger deux fois par jour en restant en bien meilleure forme que nous. De plus en plus souvent, les restaurants italiens proposent des demi-portions de pâtes en entrée. Dans le cadre d'un repas italien, c'est tout à fait admissible : les bons lipides (l'huile d'olive) et les bons glucides (les légumes et la salade) contrebalancent les effets néfastes de l'amidon des pâtes.

On admet en général que la cuisine asiatique est bonne pour la santé. Il est vrai qu'en Asie, les différentes cuisines, très variées, sont riches en légumes et en poissons et pauvres en viandes rouges et en sucreries. Ce n'est toutefois pas toujours le cas de la cuisine asiatique que l'on trouve dans les restaurants à l'étranger. Tout d'abord, les portions sont beaucoup plus importantes que celles servies à Pékin ou à Hanoi. L'aliment de base, le riz, n'est pas le même non plus. En Asie, on a toujours mangé du riz assez proche du riz complet (seule l'enveloppe extérieure du grain est enlevée). Ce riz contient des fibres, il est plus long à cuire, plus long à digérer aussi. En Occident, et de plus en plus dans les grandes villes asiatiques, on utilise maintenant du riz beaucoup plus raffiné, dont les glucides sont évidemment assimilés plus rapidement.

Attention aussi au glutamate de sodium ! Cet exhausteur de goût, naguère largement utilisé dans la cuisine asiatique, l'est un peu moins aujourd'hui. Il faut savoir que le glutamate de sodium est préparé avec des betteraves, légume tout à fait estimable, mais très riche en sucres. C'est ainsi que se cache peut-être du sucre dans vos crevettes sautées au basilic thaï ou dans votre poulet au saté.

Dans tous les restaurants, évitez le riz et les pommes de terre. Demandez à la place une garniture de légumes, on ne vous la refusera pas. Évitez toutes les fritures. Vous pouvez manger sans souci des aliments bouillis, rôtis, grillés, braisés, à la vapeur, au four et même sautés. S'il y a de la sauce, demandez qu'on vous la serve à part. Cela ne vous empêche pas de la goûter, mais de cette manière, on en mange souvent deux fois moins que lorsqu'elle nappe l'assiette.

Pour ce qui est des boissons, commencez avec de l'eau, mais ne vous privez pas d'un ou deux verres de vin rouge, qui ne font guère grossir et sont par ailleurs bons pour votre santé. Évitez le vin blanc, les alcools et surtout la bière.

Les desserts, enfin, ne posent un problème que si vous allez fréquemment au restaurant. Dans ce cas, il vaut mieux ne pas en prendre du tout. Si vous ne sortez que pour de grandes occasions, ne vous en privez pas, pour une fois, en essayant quand même de limiter les dégâts. Si les fruits rafraîchis vous disent, allez-y.

S'ils sont servis sur une coupe de glace, demandez les fruits et la glace dans deux coupes séparées, mangez les fruits et deux ou trois cuillerées de glace. Et si c'est le gros gâteau au chocolat qui vous tente, prenez-en une part en demandant quelques fourchettes supplémentaires pour les autres convives. Mangez-en une ou deux bouchées en mâchant bien, pour vous passer l'envie de chocolat, et donnez l'assiette aux autres convives ou faites-la enlever.

Vous pouvez d'ailleurs essayer cette méthode chez vous. Prenez trois bouchées de n'importe quel dessert et mettez le reste de côté. Vous verrez que c'est aussi bien que de tout manger – ce sont les premières bouchées qui comptent. Et vous serez content de vous.

Tout ceci vaut pour le restaurant «classique», mais que faire au fast-food où, il faut bien le dire, on mange bien souvent pas grand-chose? Au menu, il n'y a pratiquement rien de bon sur le plan diététique. Il faut éviter le hamburger et le cheeseburger : beaucoup trop de graisses saturées dans la viande et l'huile de cuisson et de mauvais glucides dans le petit pain. Les beignets de poisson ne valent pas mieux : l'enrobage du poisson, frit dans l'huile, fait grossir encore plus que le hamburger. Ne parlons pas des frites et du ketchup, qui induisent la plus forte glycémie, ni des sodas qui sont de purs sucres. Les offres promotionnelles des fast-foods consistent la plupart du temps à «offrir» de plus grosses portions des plats les moins chers, les frites et les sodas. Tout ce qui a mené à la vague d'obésité qui nous touche actuellement.

Au fast-food, ne prenez que des salades (avec de la vinaigrette comme assaisonnement) et des blancs de poulet grillés (s'il y en a). Ne buvez que de l'eau ou du café, et tout ira bien. Évitez tout le reste, même les nuggets, qui sont composés de peu de viande et de beaucoup d'enrobage farineux frit dans une mauvaise huile. Si vous avez du mal à vous passer de hamburgers, de frites ou de nuggets, évitez la tentation et n'allez pas du tout au fast-food ou rien n'est bon pour vous.

Mon régime Miami

Judy : « J'ai perdu trois tailles...
et beaucoup de cholestérol. »

Il y a beaucoup de cardiaques dans ma famille, et personnellement, je souffre d'angines à répétition depuis longtemps et ma tension artérielle est trop élevée. En 1990, j'étais la benjamine du service de cardiologie où l'on m'a fait un triple pontage. Ma mère et ma sœur aussi en avaient subi un.

Il y a quelques années, j'ai eu besoin de consulter un nouveau cardiologue et j'ai vu le docteur Agatston. Il m'a dit tout de suite que je devais perdre du poids, ce que je savais, car je pesais 86 kilos à cette époque. Je me doutais d'ailleurs de tout ce qu'il allait me dire. Mais il m'a donné confiance en moi pour suivre ce régime.

J'ai donc supprimé tous les mauvais glucides et, bien entendu, le sucre. Il m'a recommandé d'éviter les produits à 0 % de matière grasse, parce qu'ils contenaient souvent beaucoup de glucides. Je m'en suis donc tenue au lait demi-écrémé et aux fromages allégés.

Avant de faire ce régime, je ne prenais jamais de petit déjeuner. Je mangeais le soir, mais pas de gâteaux ni de sucreries, seulement des fruits ou des bretzels. Je mangeais régulièrement des pommes de terre au four, toujours sans beurre parce que je pensais que le beurre était mauvais alors que la pomme de terre était bonne. Je prenais des frites chaque fois que j'en avais envie, et je mangeais naturellement tout le pain de mes hamburgers. J'essayais de manger raisonnablement, mais je ne faisais pas trop attention à ce que je mangeais. Et

131

au fil des années, lentement mais sûrement, j'ai pris du poids. Beaucoup de poids. Quand j'ai commencé ce régime, j'étais paniquée : de ma vie, je n'avais jamais pesé autant.

Après la première phase, j'ai réintroduit quelques glucides dans mon alimentation, mais très peu car ils ne m'inspirent pas confiance. Je mange juste des pâtes complètes et du riz complet, en petites quantités. Plus de pommes de terre, seulement des patates douces cuites au four ; et je n'en mange qu'une demie à la fois. Je ne prends que des confitures et des gelées aux édulcorants, encore que j'aie la chance de ne pas être bec sucré.

J'ai continué à perdre du poids après avoir remis des glucides au menu. De temps en temps, je me fais un sandwich avec du pain complet ; mais des tranches fines, quand même !

J'ai perdu 15 kilos en six mois et n'ai rien repris depuis trois ans. Je m'habille maintenant trois tailles en dessous, et mon taux de cholestérol a considérablement chuté. Mon mari dit que c'est le régime le plus onéreux que j'aie jamais fait, parce que j'ai dû changer tous mes vêtements. Je suis procureur, et donc souvent en représentation ; et mon mari et moi sortons beaucoup. Au fond, ce régime aura été une bonne excuse pour changer ma garde-robe.

11

Un régime pour les cardiaques

Je ne suis venu à la diététique qu'en soignant mes malades : je suis avant tout cardiologue, spécialisé dans la prévention. Une maxime célèbre chez nous dit : «Ce n'est pas quand le patient fait une crise cardiaque qu'il faut commencer à le soigner.» Je suis intimement convaincu que l'on peut prévenir efficacement les maladies cardiaques, même chez les gens qui montrent de nettes prédispositions familiales. L'essentiel est de commencer ce travail de prévention dès que possible. Plus on s'y prend tôt, plus on réduit les risques d'accident dans le futur. N'oubliez pas qu'en matière cardiaque, la première crise est souvent la dernière.

Le régime alimentaire est l'élément le plus important de cette prévention. Pour nombre de nos patients, en particulier les diabétiques et les prédiabétiques, le régime est vital. Faire de l'exercice est important, et il existe d'excellents médicaments qui entrent dans le cadre de cette prévention. Mais on ne fera rien sans un régime alimentaire approprié.

Faute de prévention efficace, on soigne à l'aide d'une technologie toujours plus performante : angioplastie, pontages coronariens, greffes de cœur, et même des cœurs artificiels. Ces techniques permettent de vivre, mais il faut bien admettre qu'en arriver là est un constat d'échec. Ces opérations, toujours très lourdes, constituent le dernier recours quand les soins classiques ont échoué, quand la médecine s'est révélée incapable de maintenir le système cardio-vasculaire en état de fonctionner normalement. Certains accidents cardiaques sont dus à des maladies ou à des malformations, mais ils sont rares. La plupart du temps, on peut *prévenir* les crises cardiaques car leur origine est comportementale.

L'exercice

L'exercice physique est à considérer comme le régime : il s'agit d'en faire sans avoir l'impression que c'est une obligation. En d'autres termes, l'exercice doit tout naturellement faire partie de votre quotidien. Vous pouvez vous attacher les services du meilleur entraîneur, celui qui vous mettra dans une forme olympique : s'il faut changer de mode de vie pour y parvenir, vous ne vous entraînerez pas longtemps, et vous risquez même de vous retrouver en moins bon état physique qu'avant.

Il n'est d'ailleurs pas nécessaire de s'entraîner comme un commando pour conserver ou retrouver des fonctions cardiaques satisfaisantes. Un exercice modéré, de préférence quotidien, est tout à fait suffisant.

Beaucoup de gens se lancent dans un entraînement physique intensif, après des années passées à ne rien faire. Ils se lassent rapidement des exercices fatigants et arrêtent vite complètement. Plutôt que ce tout ou rien, essayez simplement de trouver un petit moment chaque jour pour faire de l'exercice. Vous ne brûlerez pas énormément de calories, mais les effets cumulés de ces petites séances d'entraînement seront très bénéfiques. Au minimum, vous éviterez de prendre un kilo chaque année, ce que l'on fait souvent à partir d'un certain âge. L'exercice régulier fait avec plaisir vous maintient en forme mentalement autant que physiquement.

Commencez par quelques exercices qui privilégient la respiration. Il n'est pas nécessaire de passer une heure sur un tapis roulant ou un vélo d'appartement. Je vous conseille une marche rapide de vingt minutes, tous les jours. Ne courez que si vous en avez envie et rappelez-vous ce principe tout simple : l'exercice est efficace à partir du moment où il fait transpirer. Les effets bénéfiques de ce genre d'activité survenant dans les vingt premières minutes, vous pouvez alors arrêter ; mais faites vos vingt minutes intégralement et consciencieusement, tous les jours. Je le répète, inutile de vous prendre pour un champion olympique, vingt minutes suffisent.

Faites aussi quelques étirements, ne serait-ce que pour ne pas risquer de vous blesser ensuite avec d'autres mouvements. En avançant en âge, on perd de la souplesse ; les étirements permettent de la récupérer.

Soulevez un peu de fonte, enfin, c'est très bon. En vous musclant, vous améliorez le rapport muscles-graisses de votre corps, ce qui augmente son métabolisme : votre corps brûle son carburant – les graisses –

plus rapidement, même en dormant. Là encore, il ne s'agit pas de faire du body-building, mais seulement d'augmenter votre masse musculaire. En pratiquant cette musculation, les femmes préviennent efficacement l'ostéoporose et ses désastreuses fractures.

L'exercice fait enfin baisser la tension artérielle et augmente le taux de bon cholestérol. De bonnes habitudes alimentaires et un peu d'exercice vous garantissent un bon état cardio-vasculaire pour de longues années, bien mieux que tous les traitements médicaux existant à ce jour.

Notez que quelques bons glucides sont indiqués avant les exercices intenses et longs (plus de quatre-vingt-dix minutes). Prenez des flocons d'avoine naturels, du yaourt maigre ou un peu de pain de seigle deux heures avant votre entraînement, vous ne souffrirez pas d'hypoglycémie. Après votre exercice, vous aurez besoin de «refaire le plein» de glucose : accordez-vous alors un peu de pain ou une pomme de terre.

Médicaments et compléments alimentaires

Je reste persuadé des bienfaits de la prévention en ce qui concerne les maladies cardiaques, surtout de la prévention par le régime alimentaire. Il y a cependant des cas qui ne peuvent être résolus uniquement avec un régime et de l'exercice. À la fin des années 1980 sont apparues les statines, de nouveaux médicaments contre le cholestérol (Lipitor, Zocor, Pravachol, Crestor). Leur efficacité est étonnante, puisque nous avons pu faire baisser le cholestérol de nos malades de 20 à 30 % dans un premier temps, puis de 50 % ! On avait le beurre et l'argent du beurre : on pouvait manger ce que l'on voulait sans faire trop de cholestérol. Évidemment, les statines ne font pas maigrir, mais nombre de nos patients ont quand même laissé tomber le régime dès lors qu'ils prenaient ces médicaments. L'efficacité des statines est démontrée maintenant : elles réduisent en moyenne de 30 % les risques d'attaque cardiaque.

Sans entrer dans le détail du mode d'action des statines, sachez seulement qu'elles bloquent la production de cholestérol par le foie. Quelques problèmes sont apparus avec les premières, mais ils ont été assez largement exagérés. Le Benecor, qui provoquait parfois des réactions toxiques du foie, a été retiré du marché. Aucune des statines aujourd'hui disponibles sur le marché ne présente de contre-indications. Les bienfaits de ces médicaments, eux, sont réels. Les médecins le savent bien, qui en sont les premiers utilisateurs. La majorité des cardiologues de plus de quarante ans que je connais prennent des statines, même ceux qui n'ont aucun problème de cholestérol. Ces médicaments sont onéreux – il faut compter 2 500 euros par an – mais ils valent leur prix.

Les compléments alimentaires sont aujourd'hui couramment prescrits aux cardiaques. Tout le monde sait qu'une aspirine par jour, en fluidifiant le sang, favorise la prévention des thromboses et des phlébites chez les sujets à risque. Voilà un produit très bon marché dont on ne dira jamais assez quels bienfaits il procure dans ce domaine. L'aspirine est tellement banale qu'on oublie souvent de la prescrire alors que c'est un médicament très efficace.

On a longtemps vanté les propriétés des vitamines antioxydantes (A, C et E) dans la prévention des cancers et des maladies cardiaques. Les études les plus récentes ont sérieusement nuancé ces louanges. Il semble bien que ces vitamines, si elles ne présentent aucun risque (sauf pour votre porte-monnaie), n'ont guère d'effets bénéfiques. Seule la forme *naturelle* de la vitamine E, le d-alpha tocophérol, semble efficace, sous réserve que les études en cours le confirment.

Je pense qu'il est bon de considérer les fruits et les légumes comme la principale source de vitamines et donc d'en manger souvent, tout en faisant de l'exercice. Par précaution, on peut prendre un composé multivitaminé par jour.

Les bienfaits de l'huile de poisson, riche en oméga 3, ne sont plus discutés. L'huile des poissons gras comme le thon et le saumon sont toujours recommandés dans les régimes des cardiaques. L'huile de poisson, présentée aujourd'hui sous forme de gélules très pratiques, fait baisser les triglycérides, réduit les risques de thrombose et d'embolie et prévient efficacement l'arythmie cardiaque, qui peut être fatale. Les oméga 3 favorisent aussi la prévention du diabète et pourraient être efficaces contre l'arthrite... et la dépression. (On consultera à ce sujet l'excellent ouvrage du Dr Andrew Stoll, *The Omega-3 Connexion*.) Personnellement, je prends de l'aspirine, une statine et des gélules d'huile de poisson.

Enfin, la testostérone mérite de ne pas être négligée. La sécrétion de cette hormone baisse normalement chez tous les hommes, à partir de vingt ans ; mais chez certains, cette baisse hormonale produit l'équivalent de la ménopause chez la femme. Or, si nous savons que la testostérone est l'hormone de l'activité sexuelle, il semble bien qu'elle ait une influence directe sur le fonctionnement du système cardio-vasculaire. Les hommes qui ont subi une attaque cardiaque présentent majoritairement un niveau de testostérone plus bas que la normale, tout comme les diabétiques. Chez les sujets qui en manquent, l'administration de testostérone accroît la masse musculaire et la masse osseuse en réduisant l'obésité abdominale. Il semble bien que cette obésité, qui survient avec l'âge, soit précisément due à un déficit en testostérone.

On évaluait mal les effets de la testostérone, parce qu'on ne la dosait que chez les patients présentant des problèmes sexuels. Connaissant son impact sur tout l'organisme, je la teste maintenant systématiquement chez tous mes malades et j'en prescris sous forme de gel à appliquer sur la peau à ceux dont le niveau est trop bas.

Les nouveaux tests sanguins

Faire baisser le taux de cholestérol dans le sang, c'est bien, mais ce n'est pas suffisant. Bien des cardiaques ont un taux de cholestérol normal. Certaines personnes ont été victimes de crise cardiaque alors que leur cholestérol était bas, et d'autres se portent bien avec un cholestérol élevé. Le taux total n'est pas significatif en lui-même. Nous savons qu'il existe deux sortes de cholestérols, celui qu'on appelle le «bon» (HDL, lipoprotéines de haute densité) et le «mauvais» (LDL, lipoprotéines de faible densité). Le rapport entre le bon et le mauvais cholestérol est toujours mesuré dans les analyses de sang.

D'autres facteurs sont aujourd'hui pris en compte par les nouvelles analyses de sang, des facteurs essentiels en cardiologie.

Les meilleurs laboratoires sont maintenant capables de distinguer cinq sous-groupes de cholestérol HDL et sept sous-groupes de LDL. Entre autres, on mesure la *taille* des particules de cholestérol, un point essentiel. Globalement, les grosses particules sont bonnes et les petites sont dangereuses. Dans le HDL, les grosses particules «nettoient» mieux les triglycérides des vaisseaux sanguins que les petites particules. Plus important encore, dans le LDL les petites particules glissent derrière les parois des vaisseaux sanguins où elles s'accumulent en plaques, rétrécissant ainsi ces derniers. Les grosses particules, qui ne peuvent passer facilement derrière les parois, concourent donc beaucoup moins au rétrécissement des artères.

Le dosage des lipides a fait aussi de gros progrès. Pionnier en la matière, le laboratoire de l'université de Berkeley forme aujourd'hui nombre de cardiologues à l'évaluation de ces nouveaux tests. Les taux des différents types de cholestérols, des lipides et de l'homocystéine, notamment, permettent de diagnostiquer 90 % des affections. Le test de la sensibilité à la protéine c-réactive (CRP) permet de détecter les inflammations des parois artérielles. Ces inflammations précèdent toujours l'artériosclérose et les crises cardiaques, même chez les sujets qui ont un faible taux de cholestérol. Il est intéressant de noter que les prédiabétiques et les diabétiques ont souvent des taux de cholestérol normaux, mais réagissent au test CRP.

La tomographie à faisceau d'électrons

La tomographie à faisceau d'électrons est une nouvelle technique d'examen très prometteuse. Je la connais bien pour avoir participé à sa mise au point. Cette technique est infiniment supérieure à l'électrocardiogramme pour juger de l'état exact des artères coronaires : elle donne des informations qu'aucun autre examen n'a jamais permis d'obtenir.

Avec trois cardiologues, Warren Janowitz, David King et Manuel Viamonte, nous avons mis au point cette technique en 1988 à l'aide d'un scanner révolutionnaire à l'époque, le scanner tomographique à faisceau d'électrons, un appareil conçu par un brillant physicien, Douglas Boyd.

Totalement indolore, c'est un examen simple et rapide où le malade n'a même pas besoin de se déshabiller. Le scanner prend des instantanés à grande vitesse et «fige» les battements du cœur. Avec un scanner tomographique classique, les battements du cœur donnent une image floue. Ici, nous obtenons des images extrêmement détaillées, qui permettent de voir et même de mesurer les dépôts de calcium sur les parois des artères coronaires. Ces dépôts sont révélateurs de l'état de tout le système cardio-vasculaire. Nous savons donc si nous devons traiter le malade préventivement, que ce soit avec un régime, de l'exercice ou des médicaments. L'examen suivant permet de mesurer l'efficacité du traitement prescrit.

Pour rester en bonne santé, rien ne vaut un bon régime alimentaire et de l'exercice. Si on y ajoute des analyses de sang régulières dans un laboratoire performant et des scanners de dernière technologie, on doit prévenir pratiquement *toutes* les maladies cardiaques.

Mon régime Miami

*Nancy : « Je n'ai pas pris un gramme
de toute ma grossesse. »*

Je travaillais dans le service pédiatrique de l'hôpital du Mont-Sinaï, quand le service de cardiologie a proposé au personnel de tester des régimes, dans le cadre de leur programme de recherche sur la nutrition. En échange, nous aurions des consultations de diététique gratuites. Nous devions choisir un régime au hasard, et je me suis retrouvée avec le nouveau régime sans glucides, aujourd'hui célèbre sous le nom de « régime Miami ».

Je pesais 85 kilos à l'époque. Depuis cinq ans, j'avais essayé tous les régimes pour maigrir. À trois reprises, j'avais pris de la fenfluramine et de la phentermine, les médicaments qui ont été interdits. Et à chaque fois, je reprenais le double de ce que j'avais perdu. J'ai essayé le régime Slim-Fast, et je me suis vite lassée de ne boire que des préparations protéinées. J'ai ensuite décidé de ne manger que des salades, et je n'ai pas tenu longtemps. Je manquais de volonté et j'avais encore plus faim après avoir mangé ma salade.

D'origine espagnole, j'ai été élevée avec cette cuisine très grasse et comportant beaucoup de fritures. J'essayais de me débarrasser de ces mauvaises habitudes, mais rien à faire : au bout de deux semaines de crudités et de grillades, je retombais dans le riz sauté au porc, le poulet frit, les beignets de banane. Je ne pouvais pas m'en passer, tout simplement. J'ai toujours aimé les sucreries aussi, un gâteau par-ci, un beignet par-là, une grosse glace après le dîner. En pédiatrie, avec les enfants, on est tenté par toutes les sucreries qui circulent.

Pour moi, les deux premières semaines du régime, avec uniquement des viandes maigres, des légumes et de l'eau, ont été vraiment difficiles. La deuxième semaine, j'étais tellement stressée que j'ai cru devenir folle. Mais j'ai tenu, parce que le nutritionniste m'a bien aidée. Je n'ai triché qu'une fois, pendant ces deux semaines, en mangeant une part de gâteau au fromage blanc. J'ai été tentée par du riz, mais j'avais arrêté d'en acheter, et il n'y en avait plus à la maison. Le riz m'a terriblement manqué.

Ensuite, ça a été beaucoup mieux. Je pouvais enfin varier les menus. J'achetais absolument tous les aliments autorisés, beaucoup de fruits et des légumes. J'en ai essayé que je n'avais jamais mangé auparavant comme les brocolis et les asperges, tant j'avais envie de changer.

Au bout de trois mois, j'avais perdu 15 kilos. À ma dernière consultation chez le nutritionniste, j'ai découvert que j'étais enceinte. Ça faisait cinq ans que j'attendais ça, mais en réalité, je n'y croyais plus. Je ne sais pas ce qui a déclenché ma grossesse, mais je pense que mon excédent de poids n'arrangeait rien. J'ai changé, et j'ai vécu une période très heureuse.

Je n'ai pas pris un gramme de toute ma grossesse ni pendant les deux années qui ont suivi. Ces temps-ci, j'ai tendance à reprendre du poids. Je me suis un peu laissée aller. Il faut dire qu'entre les petits gâteaux du service de pédiatrie et les sucreries de mon fils (il a maintenant trois ans), on est tenté toute la journée. J'ai redemandé au nutritionniste un exemplaire du régime Miami, et je vais m'y remettre.

12

Le régime Miami peut-il échouer?

Cette question mérite d'être posée parce que, effectivement, ce régime échoue parfois ou plus exactement certains échouent à le suivre. Nous avons cherché à comprendre pourquoi.

Tous ceux qui ont suivi le régime Miami insistent sur le fait qu'il est très facile de «plonger» et de retomber dans ses mauvaises habitudes alimentaires, peut-être parce que c'est un régime qui n'est pas perçu comme vraiment contraignant. Même pendant les deux premières semaines, il est très important de toujours manger à sa faim et de grignoter ce qui est autorisé entre les repas si on en ressent le besoin.

Les premiers jours d'un régime, quel qu'il soit, sont en général assez faciles, parce qu'on est motivé et plein d'allant. On va maigrir, changer de look et de vie, il y a de quoi être enthousiaste. À peine au régime, on voit dégringoler les chiffres de la balance et on ressort de la penderie des vêtements qu'on ne pouvait plus mettre depuis longtemps. Ces kilos perdus immédiatement renforcent tellement la motivation qu'on n'a aucune difficulté à poursuivre.

Que se passe-t-il alors ?

C'est peut-être la facilité et la rapidité avec lesquelles on obtient ces résultats qui vont mener à l'échec. En moyenne, les patients perdent 4 à 6 kilos pendant les deux premières semaines. Ils passent ensuite à la phase 2, pendant laquelle ils peuvent réintroduire des glucides interdits pendant la phase 1. Nous préconisons de le faire pour plusieurs raisons : d'abord parce que ces glucides contiennent de bons nutriments, ensuite parce qu'il est important que votre régime soit aussi proche que possible d'une alimentation normale. Ce qui veut dire que vous pouvez manger quelques fruits, un peu de pain ou de pâtes, et même un dessert de temps à autre.

En phase 2, on continue à perdre du poids, mais moins vite qu'en phase 1. Selon le poids auquel on veut arriver, il faut la suivre pendant un an, voire davantage. Pour certains, cet amaigrissement lent est très décevant. Ils se souviennent alors que la phase 1 n'était pas si contraignante que ça, puisqu'on n'avait jamais faim. Ils décident donc de rester en phase 1 jusqu'à ce qu'ils aient atteint leur objectif.

J'ai vu beaucoup de personnes adopter cette méthode et réussir parfaitement, j'en ai vu encore plus échouer. Je vais vous expliquer pourquoi.

La phase 1 n'est pas conçue pour être suivie sur le long terme. Elle limite beaucoup la variété des aliments autorisés : on a droit aux viandes maigres et aux poissons, aux légumes (pas tous), aux salades et aux fromages allégés, tout cela cru, bouilli ou grillé et assaisonné uniquement de bonnes huiles (olive ou colza). Entre les repas, quelques amandes et du fromage allégé.

Ce qui est tout à fait acceptable pendant deux à trois semaines ne l'est pas pendant un an. Rapidement, le régime devient ennuyeux et les problèmes commencent. Certains s'aménagent ce qu'ils pensent être quelques améliorations en s'y prenant malheureusement très mal. En général, ils reprennent de mauvaises habitudes en se disant que ce qui est très occasionnel ne peut pas faire de mal. Ils suivent donc la phase 1, mais s'accordent trois petits-beurre le soir. Et encore, pas tout d'un coup. Un seul le premier soir – un petit-beurre ne fait pas de mal –, puis un autre, et un autre. Comme rien de notable ne se passe, ils s'offrent un petit paquet de chips l'après-midi. Puis, de fil en aiguille, si trois petits-beurre le soir et un paquet de chips l'après-midi ne font pas grossir, ils s'autorisent encore une pizza-bière le week-end. Petit à petit, on s'écarte du régime et les effets de ces petits dépassements se font brusquement sentir : on reprend du poids. Et quand on décide alors de se remettre en phase 1, elle paraît alors encore plus monotone qu'au début.

À ce stade, certains abandonnent. S'ils ont de la chance, ils reviennent à leur poids de départ. La plupart du temps, ils terminent en ayant pris des kilos, car il est très difficile de s'arrêter quand on commence à rechuter. En matière de régime, on a coutume de dire qu'on peut reprendre en une journée ce qu'on a mis des mois à perdre. Même si on en est bien conscient, il est parfois difficile de résister à la tentation… et on termine son régime en ayant grossi.

Il est très important de prendre du plaisir en mangeant, même – et surtout – quand on essaye de perdre du poids, c'est un des principes du régime Miami. C'est pour cette raison que nous poussons nos patients à passer à la phase 2 au bout de deux semaines, même s'ils sont tentés de rester en phase 1. Ce régime étant basé sur le long terme, il est essentiel de suivre sa progression en trois phases. Vous perdez peut-être votre poids plus lentement, mais vous êtes sûr de le perdre. Et de ne pas le reprendre.

Les aléas du quotidien

La vie moderne, au quotidien, peut aussi faire échouer votre régime. Vous avez perdu des kilos, vous avez même atteint exactement le but que vous vous étiez fixé. Vous êtes donc passé à la phase 3, qui doit seulement vous permettre de ne pas reprendre de poids. Naturellement, vous devez suivre cette phase 3 toute votre vie.

Quels sont ces aléas? Les gens qui voyagent beaucoup, et surtout ceux qui voyagent pour affaires, sont des sujets à haut risque de rechute. Voyager, c'est changer ses habitudes, en particulier ses habitudes alimentaires. Le danger est là, d'autant plus que les voyages aériens ont bien changé. Naguère encore, dans les avions, on pouvait demander un repas végétarien, casher, ou je ne sais quoi encore. On pouvait éviter la viande en sauce accompagnée de pommes de terre, petits pois et carottes et le redoutable crumble aux fruits. Aujourd'hui, on ne sert plus de repas, tout juste des mélanges salés ou sucrés, fruits secs, crackers et cacahuètes rôties au miel, accompagnés de sodas. Aux cacahuètes près, ce sont les pires glucides.

Le temps d'atterrir et d'arriver à l'hôtel, l'heure du dîner est passée. Avec le décalage horaire, il n'est peut-être même plus l'heure de se coucher. Vous êtes tout de même affamé. Une salade César et un blanc de poulet suffiraient sûrement à satisfaire votre appétit, mais le room service n'en propose pas à cette heure. Vous vous entendez commander le club sandwich, les frites et le soda, et vous regrettez votre commande à peine le téléphone raccroché. Vous mangez néanmoins tout, avec en prime une bière tirée du minibar avant de vous coucher.

Le lendemain, vous pouvez manger normalement le matin et à midi, mais le soir, vous êtes encore en réunion à 19h30, jusqu'au moment où quelqu'un s'avise de commander des pizzas et des sodas pour tout le monde. Encore une bonne dose de mauvais glucides pour terminer la journée.

Les grosses journées de travail, que ce soit au bureau, à la maison ou en déplacement, sont responsables de bien des débordements, car elles bouleversent l'horaire normal des repas. On mange souvent plus et toujours beaucoup moins bien quand on le fait dans l'urgence. Vous êtes peut-être un de ces accros au travail, qui se nourrit aussi rapidement que possible de hamburgers-frites dévorés en voiture ou sur les aires d'autoroute.

Le stress engendré par le travail fait souvent manger n'importe quoi. Les gens qui mangent parce qu'ils sont sous pression ne font plus du tout attention à leur régime. Ce qu'on appelle les «aliments de confort», en réalité des aliments destinés à réconforter, sont toujours ce qu'il y a de pire : les pâtisseries, les chocolats, toutes sortes de confiseries, et aussi les plats de pâtes au fromage.

J'ai été étonné par le nombre de personnes qui m'ont avoué avoir arrêté leur régime après des grandes périodes de stress ou d'incertitudes économiques ou politiques. Comme si s'occuper de son poids était devenu incongru dans le climat général d'insécurité qui régnait alors. On cherchait au contraire à se rassurer en mangeant bien ou beaucoup, et énormément de sucreries.

J'ai rassemblé dans ce livre des témoignages de patients qui ont réussi leur régime : ils ont atteint le poids qu'ils s'étaient fixé, s'y sont tenus et n'en ont plus bougé. Je vais maintenant donner la parole à un malade qui s'est mis au régime normalement, a perdu du poids, puis a tellement décroché qu'il pèse aujourd'hui plus qu'avant de commencer. Son histoire illustre les dangers des «pauses» dans les régimes, qui mènent bien souvent à la catastrophe. Aussi, je ne le nommerai pas.

« J'ai eu une crise cardiaque assez jeune, à la cinquantaine, et j'ai décidé de perdre du poids alors que j'étais en convalescence. Je pesais 117 kilos quand je suis allé consulter le nutritionniste et il m'a prescrit quatre semaines de régime Miami. Pendant les deux premières semaines, en phase 1, j'ai perdu 4 kilos, mais je me suis senti un peu faible. Quand j'ai recommencé à manger quelques glucides, en phase 2, tout est allé mieux. Et j'ai continué à perdre du poids.

« À l'époque, je mangeais énormément de pain, à tous les repas et même entre les repas. Au restaurant, à peine assis, je plongeais dans la corbeille et je n'avais plus faim quand le dîner arrivait. J'ai donc arrêté complètement le pain.

« J'adorais aussi les viennoiseries, comme les pains aux raisins dont j'achetais un sac entier quand ils sortaient du four. C'était pour les collègues de bureau, bien sûr, et tout le monde pouvait se servir ; mais c'était surtout moi qui en mangeais, à chaque fois que je passais devant le sac.

« J'ai dû arrêter aussi les pommes de terre, que je mangeais en quantité, mais ça n'a pas été trop difficile, moins que le pain et les gâteaux. Ainsi que les chaussons aux pommes, et les gaufres du petit déjeuner que j'arrosais de sirop d'érable. Une fois au régime, je n'ai plus mangé que des œufs au petit déjeuner. Beaucoup d'eau aussi, et du café décaféiné.

« Entre les repas, j'ai supprimé les petits gâteaux et mangé des cacahuètes, que je grignotais aussi en milieu d'après-midi. J'ai remplacé les petits gâteaux et le bol de céréales avec du lait, qui me tenaient lieu de dessert le soir, par des amandes. J'en comptais quinze, que je mangeais une par une, lentement, pour les faire durer.

« En phase 2, j'ai perdu encore 12 kilos. J'avais de moins en moins de difficultés à suivre le régime. Au restaurant, je faisais enlever la corbeille de pain. Je m'en tenais à la viande et aux légumes, et tout allait très bien. J'ai remis quelques glucides au menu, comme prévu. Une tranche de pain complet ou une portion de riz de temps en temps, et j'ai continué à maigrir.

« J'ai suivi la phase 2 pendant une année entière, jusqu'au jour de cette grande réunion de famille. J'avais tellement bien suivi mon régime, depuis un an, que j'ai pensé pouvoir faire un écart, pour une fois. J'allais manger tout ce qui me ferait envie ce jour-là et le lendemain, je reprendrais aussitôt le régime. Je l'avais déjà fait : quand je mangeais un peu trop de glucides *et que j'arrêtais de maigrir, je repassais en phase 1 et je perdais à nouveau du poids.*

« Cette fois-ci, j'en ai été incapable. J'avais tellement aimé tout ce que j'avais mangé que je n'ai pas pu reprendre mon régime le lendemain. Sans m'en rendre compte, j'ai repris tout ce que j'avais perdu en un an, quelque chose comme 25 kilos. J'ai l'intention de me remettre à la phase 1, mais il va me falloir repartir de zéro.

« Le régime Miami est excellent parce qu'il est efficace. Il faut seulement le suivre. »

Cet homme aurait pu assouvir ses envies de douceurs le jour de sa réunion de famille et revenir ensuite à son régime sans trop de dégâts. Nos patients opèrent fréquemment de cette manière. Pour une grande occasion – mariage, fête de famille –, ils mettent le régime entre parenthèses, mais pour une journée seulement.

C'est un des avantages du régime Miami : on peut chuter légèrement, reprendre 1 ou 2 kilos et les reperdre en se remettant aussitôt en phase 1. Même ceux qui ont perdu des semaines d'efforts en une journée peuvent le faire, à condition de ne pas attendre trop longtemps : remettez-vous en selle tout de suite !

Mon régime Miami

*Steve : « Si on tombe, il faut remonter à cheval
tout de suite. »*

En arrivant à Miami, j'ai consulté le docteur
Agatston en tant que cardiologue. À mon premier ren-
dez-vous, il m'a reçu dans son bureau, pas dans une
salle d'examen. Sur son ordinateur portable, il avait
une petite présentation de son programme de prévention des maladies cardiaques et il me l'a expliqué, en
concluant : « Avec ce programme, si vous avez une crise
cardiaque, ce sera de notre faute. »

Je me fais suivre car j'ai quelques antécédents familiaux assez défavorables. J'ai toujours été grand et cos-
taud, un peu plus d'un mètre quatre-vingt-dix. Quand
j'ai vu le docteur Agatston, je pesais 135 kilos, mon
maximum à ce jour. Mon poids ne se voit pas trop et je
bouge sans problème, mais je ne suis pas vraiment en
bonne condition physique. Et je suis du pays de la
pomme de terre.

Mes points faibles, c'était le pain et les pâtes. À l'en-
droit où j'habitais avant de venir à Miami, nous avions
un four à pizza dans la cuisine et j'en mangeais énormément. Pas de sucreries, mais beaucoup de pâtes et
de pizzas, du pain au moins trois fois par jour. Au restaurant, je pouvais manger la corbeille à moi tout seul.
Je ne prenais pas de dessert, mais il y avait des petits
gâteaux un peu partout dans la maison.

Je n'avais aucune notion de diététique à l'époque.
On m'avait toujours dit par exemple que tous les fruits
étaient bons pour la santé. J'ai appris qu'il y en avait
de très sucrés et d'autres beaucoup moins. Je n'avais

152

jusque-là jamais réalisé que la pastèque était gorgée de sucre, beaucoup plus que le melon. Les œufs, en revanche, dont je me méfiais, ont remonté dans mon estime. Je bois peu, mais je buvais de la bière. Je n'en ai pas bu une goutte depuis plus de deux ans.

Avec mon épouse, nous adorons cuisiner et nous adorons manger. Nous avons commencé à remplacer le riz blanc par du riz brun et les pommes de terre par des patates douces. Très franchement, je n'ai pas eu trop de mal à me passer de carottes et de navets. Nous avons découvert quantité de recettes, surtout au gril. Nous grillons tout, la viande, les légumes, les poissons que nous mangeons d'ailleurs beaucoup plus souvent. Pour le pain, je me limite strictement à la moitié d'un petit pain au petit déjeuner. Si j'ai envie d'un sandwich pour déjeuner, je le prépare avec du pain complet ou du pain de seigle, et avec plus de viande que de pain.

J'ai essayé de maigrir toute ma vie. Chaque fois que je commençais un régime, j'avais des angoisses et des vertiges. Avec celui-ci, rien du tout, aucun effet secondaire. Je me suis toujours senti très bien, même après avoir supprimé le vrai café, alors que j'en buvais beaucoup. Ma femme a eu beaucoup plus de difficultés, surtout pendant les deux premières semaines, qui ont été très difficiles pour elle. De mon côté, je n'ai eu aucun problème.

Nous avons suivi le régime strictement. Par exemple, pour la pause de l'après-midi, je n'emmenais au bureau que quelques pistaches et une portion de fromage allégé – on en fait de bons maintenant. Il n'y a que le pain qui me manquait, mais il manquait vraiment.

En six mois de régime, j'ai perdu 25 kilos. J'en ai repris un peu ces derniers temps parce que j'ai été très stressé et que j'ai compensé en mangeant davantage. Mais je sais que je peux revenir à la phase 1 et reperdre ces kilos. Et grâce au docteur Agatston, je sais comment faire passer une envie sans trop de souci. L'important, quand on tombe de cheval, c'est de se remettre en selle tout de suite.

Au restaurant, il nous arrive de prendre un dessert une fois sur trois à peu près. Mais un seul dessert pour nous deux, et nous ne le finissons pas. Nous nous contentons d'une bouchée ou deux pour finir le repas sur une note sucrée. Je ne bois plus que du vin rouge, aucun autre alcool.

Je n'ai pas seulement maigri, j'ai amélioré mes paramètres sanguins. Mes triglycérides, par exemple, sont passés de 256 à 62 au bout de six semaines, uniquement avec le régime et mes taux de cholestérol continuent à descendre.

Deuxième partie
Menus et recettes

13

Menus quotidiens en phase 1

Vous savez maintenant que cette première phase est la plus stricte du régime Miami. Elle ne dure que deux semaines, le temps nécessaire pour diminuer la résistance à l'insuline due aux mauvais glucides.

Il ne s'agit pas ici de supprimer complètement les glucides mais de choisir les bons, ceux à faible indice glycémique. Vous pouvez consommer sans restriction nombre de salades et de légumes qui apportent également des fibres, des vitamines, des minéraux et des nutriments essentiels à la santé, comme l'acide folique, excellent pour le cœur. Pour satisfaire votre faim, vous avez droit à de grandes quantités de protides, et là le choix des aliments est immense. Enfin, quelques glucides choisis pour leur faible indice glycémique vous permettront de vous faire plaisir tout en surveillant votre taux de sucre sanguin.

À la fin de ces deux semaines, vous aurez perdu vos mauvaises habitudes alimentaires et l'envie permanente de grignoter sucreries, pâtisseries et féculents, car vous serez toujours rassasié. Les six repas quotidiens autorisés et les quantités proposées doivent vous empêcher d'avoir faim. Si ce n'est pas le cas, c'est tout simplement que vos portions sont trop petites. Le régime Miami n'exige pas de tout peser. Vos repas doivent être normaux, juste suffisants pour satisfaire votre appétit mais sans plus.

Jour 1

Petit déjeuner

- 15 cl de cocktail de jus de légumes
- 2 petits flans aux légumes (page 184)
- Café décaféiné ou thé déthéiné avec du lait écrémé et de l'aspartam

Matinée

- 1 morceau de fromage allégé

Déjeuner

- 1 blanc de poulet grillé émincé sur de la laitue
- 2 cuill. à soupe de vinaigrette balsamique (page 196)
- Entremets à l'amande (page 230)

Après-midi

- Barquette de céleri branche garnie avec 1 portion de fromage fondu allégé

Dîner

- Saumon grillé au romarin (page 209)
- Asperges à la vapeur
- Salade mélangée (salade verte, concombre, poivron vert, tomates cerises)
- Huile d'olive et vinaigre pour l'assaisonnement

Soirée

- Crème à la vanille (page 228)

Jour 2

Petit déjeuner

- 17,5 cl de jus de tomate
- 1 œuf
- 2 tranches de bacon maigre
- Café décaféiné ou thé déthéiné avec du lait écrémé et de l'aspartam

Matinée

- 1 ou 2 roulades de dinde (page 224)
- 2 cuill. à soupe de mayonnaise à la coriandre (page 224) *(facultatif)*

Déjeuner

- Salade de légumes au thon (page 189)
- Entremets à l'amande (page 230)

Après-midi

- Barquette de céleri branche garnie avec 1 portion de fromage fondu allégé

Dîner

- 1 blanc de poulet rôti
- Aubergines et poivrons rôtis (page 215)
- Salade mélangée (salade verte, concombre, poivron vert, tomates cerises)
- 2 cuill. à soupe de vinaigrette balsamique (page 196)

Soirée

- Crème au moka (page 229)

Jour 3

Petit déjeuner

- 15 cl de cocktail de jus de légumes
- Omelette roulée aux asperges et aux champignons (page 182)
- Café décaféiné ou thé déthéiné avec du lait écrémé et de l'aspartam

Matinée

- 1 morceau de fromage allégé

Déjeuner

- Salade de crevettes à l'aneth (page 191)
- Entremets à l'amande (page 230)

Après-midi

- 1 ou 2 roulades de dinde (page 224)
- 1 ou 2 cuill. à soupe de mayonnaise à la coriandre (page 224) *(facultatif)*

Dîner

- Bavette grillée
- Brocolis à la vapeur
- Tomates grillées (page 218)
- Purée surprise Miami (page 216)

Soirée

- Crème à l'amande (page 228)

Jour 4

Petit déjeuner

- 17,5 cl de jus de tomate
- Œufs à la florentine (1 œuf poché servi avec 100 g d'épinards revenus à l'huile d'olive)
- 2 tranches de bacon maigre
- Café décaféiné ou thé déthéiné avec du lait écrémé et de l'aspartam

Matinée

- Barquette de céleri branche garnie avec 1 portion de fromage fondu allégé

Déjeuner

- Salade du chef (salade mélangée agrémentée d'au moins 25 g de jambon, autant de blanc de poulet et de fromage allégé)
- Huile d'olive et vinaigre pour l'assaisonnement

Après-midi

- Environ 10 tomates cerises farcies de fromage blanc maigre assaisonné

Dîner

- Cabillaud aux oignons nouveaux et au gingembre (page 210)
- Haricots beurre à la vapeur
- Chou émincé sauté à l'huile d'olive

Soirée

- Crème au moka (page 229)

Jour 5

Petit déjeuner

- 15 cl de cocktail de jus de légumes
- Omelette aux poivrons (page 183)
- Café décaféiné ou thé déthéiné avec du lait écrémé et de l'aspartam

Matinée

- 1 ou 2 roulades de dinde (page 224)
- 2 cuill. à soupe de mayonnaise à la coriandre (page 224) *(facultatif)*

Déjeuner

- Gaspacho (page 196)
- Steak haché grillé
- Salade mélangée (salade verte, concombre, poivron vert, tomates cerises)
- Huile d'olive et vinaigre pour l'assaisonnement

Après-midi

- Rondelles de concombre avec un peu de saumon fumé

Dîner

- Poulet au vinaigre balsamique (page 200)
- Tomates étuvées aux oignons (page 217)
- Épinards à la vapeur
- Salade mélangée (salade verte, concombre, poivron vert, tomates cerises)
- Huile d'olive et vinaigre pour l'assaisonnement

Soirée

- Crème à l'amande (page 228)

Jour 6

Petit déjeuner

– 15 cl de jus de tomate
– Œufs brouillés aux champignons et aux fines herbes
– 2 tranches de bacon maigre
– Café décaféiné ou thé déthéiné avec du lait écrémé et de l'aspartam

Matinée

– 1 morceau de fromage allégé

Déjeuner

– Salade mélangée au poulet
– Huile d'olive et vinaigre pour l'assaisonnement

Après-midi

– 100 g de faisselle à 0 % mg garnie de 50 g de dés de tomates et de concombre

Dîner

– Poisson vapeur
– Assortiment de légumes au four (page 214)
– Salade de roquette
– 2 cuill. à soupe de vinaigrette balsamique (page 196)

Soirée

– Crème au citron (page 227)

164

Jour 7

Petit déjeuner

- 15 cl de cocktail de jus de légumes
- Frittata au saumon fumé (page 181)
- Café décaféiné ou thé déthéiné avec du lait écrémé et de l'aspartam

Matinée

- Barquette de céleri branche garnie avec 1 portion de fromage fondu allégé

Déjeuner

- Salade de crabe au roquefort (page 192)
- Entremets à l'amande (page 230)

Après-midi

- 2 tranches de mozzarella allégée et 2 rondelles de tomate, assaisonnées de vinaigre balsamique et d'huile d'olive

Dîner

- Rumsteck à l'origan et aux câpres (page 203)
- Champignons farcis aux épinards (page 215)
- Purée surprise Miami (page 216)
- Salade mélangée (salade verte, concombre, poivron vert, tomates cerises)
- Huile d'olive et vinaigre pour l'assaisonnement

Soirée

- Crème aux zestes de citron vert (page 229)

Jour 8

Petit déjeuner

- Omelette légère aux épinards, salsa à la tomate (page 180)
- Café décaféiné ou thé déthéiné avec du lait écrémé et de l'aspartam

Matinée

- 1 morceau de fromage allégé

Déjeuner

- Salade mélangée garnie de lamelles de steak (comme le rumsteck grillé aux olives et aux câpres)
- 2 cuill. à soupe de vinaigrette balsamique (page 196)
- Entremets à l'amande (page 230)

Après-midi

- Bâtonnets de légumes crus avec du hoummous (page 223)

Dîner

- Poulet sauté au romarin (page 202)
- Purée surprise Miami (page 216)
- Haricots verts à la vapeur
- Salade de cœurs de laitue aux noix de pécan
- Huile d'olive et vinaigre pour l'assaisonnement

Soirée

- Crème à la vanille (page 228)

Jour 9

Petit déjeuner

- 15 cl de cocktail de jus de légumes
- 2 petits flans aux légumes (page 184)
- Café décaféiné ou thé déthéiné avec du lait écrémé et de l'aspartam

Matinée

- 1 ou 2 roulades de dinde (page 224)
- 2 cuill. à soupe de mayonnaise à la coriandre (page 224) *(facultatif)*

Déjeuner

- Salade grecque (page 187)
- Entremets à l'amande (page 230)

Après-midi

- Barquette de céleri branche garnie avec 1 portion de fromage fondu allégé

Dîner

- Brochettes de poisson et tagliatelles de potiron à l'italienne (pages 212 et 277)
- Salade de concombre à l'huile d'olive

Soirée

- Crème au citron (page 227)

Jour 10

Petit déjeuner

- 17,5 cl de jus de tomate
- Omelette aux champignons et au bacon
- Café décaféiné ou thé déthéiné avec du lait écrémé et de l'aspartam

Matinée

- 1 portion de fromage fondu allégé

Déjeuner

- Salade niçoise (page 195)

Après-midi

- 75 g de faisselle à 0 % mg

Dîner

- Steak au poivre (page 207)
- Tomates grillées au pesto (page 218)
- Brocolis à la vapeur
- Assortiment de légumes verts
- 2 cuill. à soupe de vinaigrette balsamique (page 196)

Soirée

- Crème à l'amande (page 228)

Jour 11

Petit déjeuner

– 17,5 cl de jus de tomate
– Fritatta au fromage (page 179)
– Café décaféiné ou thé déthéiné avec du lait écrémé et de l'aspartam

Matinée

– 1 ou 2 roulades de dinde (page 224)
– 2 cuill. à soupe de mayonnaise à la coriandre (page 224) *(facultatif)*

Déjeuner

– Gaspacho (page 196)
– Steak haché grillé
– Salade mélangée (salade verte, concombre, poivron vert, tomates cerises)
– Huile d'olive et vinaigre pour l'assaisonnement

Après-midi

– 1 bouchée de mozzarella

Dîner

– Poulet au gingembre (page 201)
– Haricots beurre à la vapeur
– Chou en salade à l'orientale (page 220)

Soirée

– Crème à l'amande (page 228)

Jour 12

Petit déjeuner

- 15 cl de cocktail de jus de légumes
- Frittata au jambon et au brocoli
- Café décaféiné ou thé déthéiné avec du lait écrémé et de l'aspartam

Matinée

- 1 portion de fromage fondu allégé

Déjeuner

- Salade de poulet aux pistaches (page 189)

Après-midi

- 1 bouchée de mozzarella

Dîner

- Saumon poché, sauce tatziki (page 208)
- Salade de pois gourmands (page 220
- Tomates grillées au pesto (page 218)
- Asperges à la vapeur

Soirée

- Crème au citron (page 227)

Jour 13

Petit déjeuner

- Œufs au plat avec quelques lanières de bacon maigre
- Café décaféiné ou thé déthéiné avec du lait écrémé et de l'aspartam

Matinée

- Barquette de céleri branche garnie avec 1 portion de fromage fondu allégé

Déjeuner

- Salade tiède de pousses d'épinards au saumon (page 255)
- Huile d'olive et vinaigre pour l'assaisonnement

Après-midi

- Bâtonnets de légumes crus avec du hoummous (page 223)

Dîner

- Rumsteck grillé à la tomate (page 204

Soirée

- Crème au moka (page 229)

Jour 14

Petit déjeuner
- Artichaut Miami (page 185)
- Sauce hollandaise Miami (page 185)
- Café décaféiné ou thé déthéiné avec du lait écrémé et de l'aspartam

Matinée
- 1 ou 2 roulades de dinde (page 224)
- 2 cuill. à soupe de mayonnaise à la coriandre (page 224) *(facultatif)*

Déjeuner
- Poivrons rouges farcis de fromage blanc et d'une julienne de légumes

Après-midi
- Bâtonnets de légumes crus avec du hoummous (page 223)

Dîner
- Blanc de poulet grillé avec des légumes grillés, et du fenouil ou des endives

Soirée
- Entremets à l'amande avec une cuillerée de crème liquide fouettée à 8 % mg (page 230)

Aliments autorisés

Bœuf (haché ou non)
Filet
Rumsteck
Gîte
Tous les morceaux maigres

Volailles (sans la peau)
Blanc de dinde ou de poulet
Coquelet
Jambon de dinde (1 tranche par jour)

Fruits de mer
Tous les poissons, coquillages et crustacés

Porc
Bacon maigre
Jambon cuit
Filet et filet mignon

Veau
Côtes dégraissées
Filet
Quasi
Tous les morceaux maigres

Fromages (allégés ou sans matières grasses)
Cheddar
Feta
Mozzarella
Parmesan
Provolone
Fromage blanc ou faisselle à 0 % mg

Fruits secs
30 pistaches
20 petites cacahuètes
15 cerneaux de noix de pécan

Œufs
Les œufs entiers sont autorisés sauf avis contraire
de votre médecin
Les blancs d'œufs sans restriction

Légumes
Artichaut
Asperge
Aubergine
Brocoli
Céleri
Champignons (tous)
Châtaignes d'eau
Chou-fleur
Choux (tous)
Concombre
Courgette
Épinards
Germes (alfafa, soja)
Haricots verts, haricots beurre
Légumes secs (haricots blancs et rouges, pois chiches,
lentilles, haricots de soja)
Navet
Petits pois et pois gourmands
Salades (toutes)

Huiles
Colza
Olive

Épices et assaisonnements
Toutes les épices sans addition de sucre
Extraits naturels (amande, vanille…)
Sauce raifort
Margarines allégées
Tous les poivres

Sucreries
(Dans la limite de 75 calories par jour)
Cacao en poudre
Chewing-gums et bonbons sans sucre
Aspartam

Aliments interdits

Bœuf
Plat de côtes
Tous les morceaux gras

Volaille
Poulet (ailes et cuisses)
Canard
Oie
Tous les produits industriels à base de volaille

Porc
Tous les morceaux gras (côte, échine, chair à saucisse…)

Veau
Foie
Poitrine

Fromages
Tous les fromages non allégés

Légumes
Betterave
Carotte
Igname
Maïs
Patate douce
Pomme de terre
Tomate (1 entière ou 10 tomates cerises par repas)

Fruits
Tous les fruits et jus de fruits sont interdits en phase 1

Féculents
Tous sont interdits en phase 1 :
Céréales
Tous les pains
Tous les pains industriels
Tous les riz
Toutes les pâtes

Laitages
Tous sont interdits en phase 1 :
Lait
Lait de soja
Yaourts
Yaourts et crèmes glacées

Divers
Tous les alcools, bières et vins

14

Recettes phase 1

Pendant cette phase qui est la plus stricte, le choix des aliments proposés est relativement restreint. Vous pouvez manger des œufs au petit déjeuner et beaucoup de légumes, des fromages allégés, de la viande et du poisson aux autres repas. Vous ne devez bien sûr pas manger de pain, de pommes de terre, de riz et de fruits pendant ces deux semaines. Des recettes savoureuses comme le rumsteck à l'origan et aux câpres, la salade de crabe au roquefort, le hoummous ou la crème au citron vous feront même oublier que vous êtes au régime. Le nombre de repas autorisés (trois principaux, deux en-cas en milieu de matinée et d'après-midi ainsi qu'une collation en soirée) vous aidera par ailleurs grandement à dépasser agréablement cette première étape.

Petits déjeuners

Frittata au fromage

Pour 2 personnes

2 œufs • 100 g de faisselle à 0 % mg • 5 cl de lait écrémé • 20 g de gruyère râpé allégé • 50 g d'oignon émincé • 50 g de poivron rouge coupé en dés • 50 g de courgette coupée en dés • 2 tomates cerises coupées en quatre • 2 cuill. à café de margarine au tournesol allégée • 1 cuill. à soupe de persil plat haché • poivre

Faites fondre la margarine dans une poêle. Ajoutez l'oignon, le poivron et la courgette et faites-les revenir 2 à 3 minutes, jusqu'à ce qu'ils commencent à prendre couleur. Ajoutez les tomates et le basilic, poivrez et mélangez bien. Laissez mijoter encore 2 à 3 minutes pour que les saveurs se mélangent. Retirez du feu.

Préchauffez le gril. Cassez les œufs dans un saladier puis fouettez-les avec le lait et le fromage blanc jusqu'à obtenir un mélange onctueux. Versez-le sur les légumes, remettez la poêle à feu modéré, couvrez et laissez cuire le temps que la base de l'omelette soit cuite et la surface baveuse. Glissez la poêle sous le gril et laissez dorer 2 à 3 minutes. Saupoudrez le fromage râpé

sur la frittata et remettez-la quelques instants sous le gril
pour le faire fondre.

Analyse nutritionnelle par portion

231 calories	*21 g de protéines*
16 g de glucides	*10 g de lipides*
3 g d'acides gras saturés	*480 mg de sodium*
15 mg de cholestérol	*2 g de fibres*

Omelette légère aux épinards, salsa à la tomate

Pour 2 personnes

Pour la frittata : *2 gros œufs • 3 blancs d'œufs • 250 g d'épinards hachés surgelés parfaitement égouttés • 100 g de mozzarella allégée, coupée en dés • 1 petit oignon émincé • 5 cl de lait condensé demi-écrémé • 2 gousses d'ail écrasées • 1 cuill. à soupe d'huile d'olive*

Pour la salsa : *4 petites tomates épépinées et coupées en dés • 2 échalotes hachées • 1 gousse d'ail écrasée • 2 cuill. à soupe de coriandre ciselée • 1 cuill. à soupe de jus de citron vert • sel et poivre*

Préchauffez le four à 180 °C (th. 6).

Faites chauffer l'huile à feu modéré dans une poêle. Ajoutez les oignons et l'ail et faites-les revenir 2 à 3 minutes, en remuant de temps en temps, jusqu'à ce qu'ils soient tendres. Ajoutez les épinards, mélangez et baissez le feu.

Dans un grand bol, fouettez les œufs entiers et les blancs avec l'eau et le lait condensé jusqu'à obtenir un mélange onctueux, puis versez-le sur les épinards. Faites cuire environ 5 minutes.

Faites glisser l'omelette dans un plat allant au four, répartissez la mozzarella à la surface et enfournez. Faites cuire 5 à 7 minutes.

Pendant ce temps, préparez la salsa. Mélangez les tomates, les échalotes, l'ail, la coriandre et le jus de citron dans un grand bol. Salez et poivrez. Servez à température ambiante sur la frittata.

Analyse nutritionnelle par portion
369 calories   *27 g de protéines*
28 g de glucides   *17 g de lipides*
6 g d'acides gras saturés   *740 mg de sodium*
230 mg de cholestérol   *8 g de fibres*

Frittata au saumon fumé

Pour 1 personne

2 œufs • 50 g de saumon fumé • 8 asperges • 50 g de tomates séchées • 1 cuill. à soupe d'huile d'olive • 1/2 oignon émincé • 3 cuill. à soupe de lait écrémé en poudre • 1/2 cuill. à café de marjolaine ciselée • 5 cl d'eau • poivre
Pour le décor (*facultatif*) : *quelques œufs de saumon ou de truite • quelques brins de ciboulette • 1 ou 2 cuill. à soupe de crème allégée*

Préparez les asperges et faites-les cuire 10 à 15 minutes à l'eau bouillante légèrement salée. Égouttez-les.

Faites fondre l'oignon avec l'huile d'olive dans une poêle jusqu'à ce qu'il soit transparent. Ajoutez les asperges, les tomates séchées, le saumon fumé, mélangez délicatement, puis retirez du feu.

Préchauffez le gril.

Cassez les œufs dans un bol, ajoutez l'eau, le lait en poudre, la marjolaine, poivrez légèrement et battez en omelette. Versez l'appareil sur les légumes, remettez la poêle à feu modéré, couvrez et laissez cuire jusqu'à ce que le dessous de l'omelette soit cuit et la surface encore baveuse. Placez alors la poêle sous le gril, à mi-hauteur, et laissez dorer 2 à 3 minutes.

Décorez éventuellement la surface avec un peu de crème, des œufs de saumon et quelques brins de ciboulette.

Variante : *remplacez les asperges par 200 g de petits bouquets de brocolis et le saumon par 50 g de jambon.*

Analyse nutritionnelle par portion

241 calories	*19 g de protéines*
18 g de glucides	*11 g de lipides*
2 g d'acides gras saturés	*730 mg de sodium*
5 mg de cholestérol	*4 g de fibres*

Omelette roulée aux asperges et aux champignons

Pour 1 personne

2 œufs • 3 asperges • 60 g de champignons de Paris émincés • 50 g de mozzarella allégée, coupée en dés • 2 cuill. à soupe d'eau

Épluchez les asperges et faites-les cuire 10 à 15 minutes à l'eau bouillante légèrement salée. Égouttez-les.

182

Cassez les œufs dans un bol, ajoutez les 2 cuillerées d'eau et battez en omelette. Enduisez une poêle d'huile. Mettez-la sur feu moyen. Quand elle est bien chaude, versez-y les œufs. Lorsque le bord de l'omelette commence à prendre, disposez les asperges, les champignons et la mozzarella sur une moitié de l'omelette puis couvrez avec l'autre moitié. Glissez l'omelette sur un plat et servez aussitôt.

Analyse nutritionnelle par portion
238 calories   *21 g de protéines*
5 g de glucides   *15 g de lipides*
6 g d'acides gras saturés   *260 mg de sodium*
440 mg de cholestérol   *1 g de fibres*

Omelette aux poivrons

Pour 1 personne

2 œufs • 1 cuill. à soupe de poivron vert coupé en dés • 1 cuill. à soupe de poivron rouge coupé en dés • 3 cuill. à soupe de fromage râpé allégé • 1 échalote hachée

Enduisez une poêle d'huile. Ajoutez les échalotes et les poivrons et faites-les fondre à feu très doux, en remuant souvent, jusqu'à ce qu'ils soient bien tendres.

Cassez les œufs dans un bol et battez-les en omelette. Versez-les sur les poivrons et laissez cuire à feu modéré. Quand l'omelette commence à prendre, ajoutez le fromage et pliez l'omelette en deux.

Analyse nutritionnelle par portion
169 calories   *20 g de protéines*
4 g de glucides   *8 g de lipides*

3 g d'acides gras saturés   320 mg de sodium
15 mg de cholestérol   1 g de fibres

Petits flans aux légumes

Pour 6 personnes

3 œufs • 250 g d'épinards hachés surgelés • 100 g de fromage râpé allégé • 50 g de poivron vert coupé en dés • 50 g d'oignon émincé • quelques gouttes de Tabasco (facultatif)

Faites cuire les épinards pendant 2 min 30 au micro-ondes à puissance maximale, puis égouttez-les en les pressant bien.

Préchauffez le four à 180 °C (th. 6).

Enduisez d'huile un moule à muffins.

Cassez les œufs dans un saladier, ajoutez le fromage, le poivron, l'oignon et les épinards. Fouettez bien pour obtenir un mélange homogène. Répartissez la préparation dans les moules, enfournez et faites cuire environ 20 minutes. Vérifiez la cuisson en piquant la pointe d'un couteau dans un flan : elle doit ressortir sèche.

Variante : *vous pouvez décliner cette recette à l'infini en utilisant d'autres légumes ou un autre fromage allégé.*

Analyse nutritionnelle par portion
77 calories   9 g de protéines
3 g de glucides   3 g de lipides
2 g d'acides gras insaturés 160 mg de sodium
10 mg de cholestérol   2 g de fibres

Artichauts Miami

Pour 2 personnes

*2 artichauts moyens • 2 tranches de bacon • 2 œufs •
4 cuill. à soupe de sauce hollandaise Miami (ci-dessous)*

Parez les artichauts. Faites-les cuire 40 à 45 minutes à
l'eau bouillante salée, puis égouttez-les en les retournant sur une passoire. Écartez les feuilles en leur donnant la forme d'une fleur, puis retirez la partie centrale
et le foin. Maintenez-les au chaud dans le four entrouvert.

Faites dorer les tranches de bacon des deux côtés
dans une poêle, sans matière grasse. Faites pocher les
œufs 3 à 5 minutes dans une casserole d'eau bouillante
légèrement vinaigrée. Égouttez-les sur un papier
absorbant.

Glissez une tranche de bacon au cœur de chaque artichaut et posez un œuf dessus. Nappez de 2 cuillerées
de sauce hollandaise et servez aussitôt.

Analyse nutritionnelle par portion

227 calories	*18 g de protéines*
16 g de glucides	*12 g de lipides*
3 g d'acides gras saturés	*540 mg de sodium*
225 mg de cholestérol	*8 g de fibres*

Sauce hollandaise Miami

Pour 2 personnes

*1 œuf • 1 cuill. à soupe de margarine au tournesol
allégée • 1 cuill. à café de jus de citron frais • 1/2 cuill.
à café de moutarde forte • 1 pincée de paprika*

Mélangez la margarine et l'œuf dans une petite casserole que vous placez au bain-marie. Chauffez très doucement en remuant avec une cuillère en bois jusqu'à ce que la margarine ait complètement fondu et soit incorporée à l'œuf.

Ajoutez le jus de citron et la moutarde. Poursuivez la cuisson tout doucement sans cesser de remuer jusqu'à ce que le mélange épaississe. Retirez du feu, ajoutez la pincée de paprika et mélangez.

Analyse nutritionnelle par portion

54 calories	*4 g de protéines*
2 g de glucides	*4 g de lipides*
0 g d'acides gras saturés	*150 mg de sodium*
5 mg de cholestérol	*0 g de fibres*

Déjeuner

Salade grecque

Pour 1 personne

8 feuilles de romaine ciselées • 100 g de concombre pelé, épépiné et émincé • 1 tomate coupée en dés • 50 g d'oignon rouge émincé • 50 g de feta allégée émiettée • 2 cuill. à soupe d'huile d'olive • 2 cuill. à soupe de jus de citron frais • 1 cuill. à café d'origan • 1/2 cuill. à café de sel

Préparez l'assaisonnement en mélangeant l'huile, le jus de citron, l'origan et le sel. Fouettez légèrement pour émulsionner.

Disposez tous les légumes dans un saladier évasé. Ajoutez la sauce et mélangez bien.

Servez cette salade avec un poisson ou du poulet grillé.

Analyse nutritionnelle par portion

501 calories	*22 g de protéines*
25 g de glucides	*38 g de lipides*
10 g d'acides gras saturés	*2 300 mg de sodium (1 134 mg en supprimant le sel de la sauce)*
30 mg de cholestérol	*6 g de fibres*

Ceviche de daurade

Déjeuner ou dîner en phase 1.

Pour 4 personnes

400 g de filet de daurade • le jus de 3 citrons verts • 1/2 cuill. à café de purée de piment • 2 tomates roma pelées, épépinées et coupées en dés • 1/2 oignon haché finement • 2 1/2 cuill. à soupe de coriandre ciselée • sel et poivre

Hachez finement le poisson au couteau. Mettez-le dans un plat creux avec les 3/4 du jus de citron vert, remuez et laissez mariner 3 heures au réfrigérateur. Égouttez bien et jetez le jus.

Dans un saladier, mélangez le poisson, la purée de piment, les tomates, l'oignon et la coriandre. Salez et poivrez légèrement et gardez au frais.

Variante : *vous pouvez préparer de la même façon tout autre poisson blanc à chair maigre.*

Analyse nutritionnelle par portion

225 calories	*36 g de protéines*
15 g de glucides	*2 g de lipides*
1 g d'acides gras saturés	*115 mg de sodium*
63 mg de cholestérol	*3 g de fibres*

Salade de légumes au thon

Pour 1 personne

180 g de thon au naturel égoutté et émietté • 75 g de concombre coupé en dés • 75 g de tomate épépinée et coupée en dés • 75 g d'avocat coupé en dés • 75 g de céleri émincé • 75 g de radis en fines rondelles • 1 poignée de laitue ciselée

Pour la vinaigrette : *4 cuill. à café d'huile d'olive • 2 cuill. à soupe de jus de citron vert • 2 gousses d'ail écrasées ou finement hachées • 1/2 cuill. à café de poivre*

Préparez la vinaigrette en mélangeant l'huile d'olive, le jus de citron, l'ail et le poivre. Fouettez légèrement à la fourchette pour émulsionner.

Disposez joliment les légumes dans une coupe, répartissez le thon et versez la vinaigrette.

Analyse nutritionnelle par portion
506 calories	*48 g de protéines*
18 g de glucides	*28 g de lipides*
4 g d'acides gras saturés	*640 mg de sodium*
50 mg de cholestérol	*6 g de fibres*

Salade de poulet aux pistaches

Pour 4 personnes

Pour la salade : *4 petits blancs de poulet sans peau (environ 400 g) • 1 cœur de laitue • 50 g de pistaches décortiquées et finement concassées • 50 g d'oignon blanc finement haché • 2 cuill. à soupe d'huile d'olive • 1/2 + 1/4 cuill. à café de sel • 1/2 cuill. à café + 1 pincée de poivre*

Pour la sauce : *1 gros avocat bien mûr, dénoyauté et pelé • 1 cuill. à café d'oignon blanc haché • 3 cuill. à soupe d'huile d'olive • 3 cuill. à soupe de jus de citron vert • 1 cuill. à soupe d'eau • Préchauffez le four à 190°C (th. 6/7).*

Mélangez les pistaches, 1/2 cuillerée à café de sel et 1/2 cuillerée à café de poivre. Coupez chaque blanc de poulet en deux, passez les morceaux dans les pistaches en pressant bien pour qu'elles adhèrent à la viande.

Dans une poêle, faites revenir les blancs de poulet à feu modéré avec 1 cuillerée à soupe d'huile d'olive, 2 minutes de chaque côté. Posez-les ensuite sur une plaque antiadhésive, glissez-les dans le four et faites-les cuire 10 minutes.

Faites chauffer le reste d'huile d'olive à feu vif dans une petite poêle. Faites-y revenir l'oignon avec 1/4 cuillerée à café de sel et 1 pincée de poivre jusqu'à ce qu'il commence à brunir.

Pendant ce temps, préparez la sauce. Mixez l'oignon, l'avocat, l'huile, le jus de citron et l'eau jusqu'à obtenir une purée fluide, rajouter éventuellement un peu d'eau.

Disposez les feuilles de laitue dans les assiettes. Émincez les blancs de poulet en lamelles et répartissez-les sur la salade. Parsemez d'oignon et servez la sauce séparément.

Analyse nutritionnelle par portion

481 calories	*33 g de protéines*
13 g de glucides	*34 g de lipides*
5 g d'acides gras saturés	*520 mg de sodium*
70 mg de cholestérol	*5 g de fibres*

Salade de crevettes à l'aneth

Pour 4 personnes

*700 g de grosses crevettes roses crues, décortiquées •
1 gros cœur de laitue • 4 tomates bien mûres, coupées en
quartiers • 6 petits champignons de Paris émincés • 22,5 cl
de vin blanc sec • 1 cuill. à café de graines de moutarde
• 1/4 cuill. à café de piment • 2 feuilles de laurier • 1 citron
coupé en rondelles • quelques brins d'aneth pour le décor*

Pour la vinaigrette : *3 cuill. à soupe d'huile d'olive •
3 cuill. à soupe de vinaigre de vin • 2 cuill. à soupe d'eau
• 1 cuill. à soupe de basilic ciselé • 3 cuill. à soupe d'aneth
ciselé • 1 gousse d'ail écrasée ou finement hachée • 1 cuill.
à café de moutarde forte • 1/2 oignon émincé*

Versez le vin dans une casserole et ajoutez-y les graines
de moutarde, le piment, les feuilles de laurier et le
citron. Ajoutez de l'eau jusqu'au tiers de la hauteur de
la casserole et portez doucement à ébullition. Jetez les
crevettes dans le liquide bouillant et faites-les cuire 1 à
2 minutes à partir de la reprise de l'ébullition. Égouttez
et laissez refroidir. Jetez les feuilles de laurier.

Préparez la vinaigrette. Mélangez l'huile d'olive, le
vinaigre, l'eau, les herbes ciselées, l'ail, la moutarde et
l'oignon. Fouettez bien pour émulsionner, puis ajoutez
les crevettes refroidies et remuez bien pour les imprégner du mélange. Mettez au réfrigérateur jusqu'au
moment de servir.

Disposez les feuilles de laitue dans les assiettes et répartissez les crevettes dessus. Décorez avec les lamelles de
champignons, les quartiers de tomate et quelques brins
d'aneth.

Analyse nutritionnelle par portion

382 calories	*38 g de protéines*
16 g de glucides	*14 g de lipides*
2 g d'acides gras saturés	*310 mg de sodium*
260 mg de cholestérol	*4 g de fibres*

Salade de crabe au roquefort

Pour 2 personnes

2 petits cœurs de laitue ciselés • 185 g de chair de crabe frais ou en conserve, bien égouttée • 225 g de tomates mûres épépinées et coupées en dés, ou de tomates cerises coupées en deux • 50 g de roquefort émietté • 2 tranches fines de bacon maigre, coupées en morceaux • 2 cuill. à soupe d'huile d'olive • 1 cuill. à soupe de vinaigre de vin

Tapissez un plat de salade ciselée. Disposez dessus les tomates, puis la chair de crabe et le bacon. Parsemez de roquefort.

Fouettez l'huile et le vinaigre dans un bol et versez-les sur la salade. Mélangez délicatement avant de servir.

Analyse nutritionnelle par portion

267 calories	*27 g de protéines*
12 g de glucides	*13 g de lipides*
4 g d'acides gras saturés	*1012 mg de sodium*
95 mg de cholestérol	*4 g de fibres*

Thon aux épices

Pour 4 personnes

450 g de filet de thon • 4 jaunes d'œufs • 3 poivrons rouges grillés • 1 concombre coupé en rondelles • 4 petits piments verts épépinés • 50 g de poivre blanc en grains • 50 g de poivre noir en grains • 50 g de graines de fenouil • 50 g de graines de coriandre • 50 g de graines de cumin • 2 1/2 cuill. à soupe de coriandre ciselée • 2 1/2 cuill. à soupe de persil plat ciselé • 2 1/2 cuill. à soupe de ciboulette ciselée • 22,5 cl de vinaigre de riz • 35 cl d'huile d'olive

Préchauffez le four à 170 °C (th. 5/6).

Faites griller au four les poivres, la coriandre, le fenouil et le cumin, environ 15 minutes. Réduisez-les ensuite en poudre à l'aide d'un robot. Roulez le thon dans ce mélange jusqu'à l'enrober complètement.

Faites revenir le thon dans une poêle pendant 6 à 8 minutes en le retournant plusieurs fois pour qu'il reste cru à cœur. Réservez-le.

Mixez 2 jaunes d'œufs, les herbes fraîches ciselées, les petits piments et 10 centilitres de vinaigre de riz tout en versant 15 centilitres d'huile d'olive en filet jusqu'à obtenir une belle émulsion.

Placez les poivrons grillés dans un bol, ajoutez les 2 autres jaunes d'œufs et 10 centilitres de vinaigre de riz. Mixez en versant doucement le reste d'huile d'olive pour émulsionner.

Recouvrez les assiettes, par moitié, avec les deux sauces. Coupez le thon en tranches, disposez-les dans les assiettes et décorez de rondelles de concombre.

Analyse nutritionnelle par portion

626 calories   *37 g de protéines*
57 g de glucides   *26 g de lipides*
4 g d'acides gras saturés   *137 mg de sodium*
266 mg de cholestérol   *21 g de fibres*

Salade de crabe en verdure

Pour 4 personnes

350 g de chair de crabe, frais ou en conserve • 150 g d'endives émincées • 150 g de feuilles de cresson • 150 g de pousses d'épinards • 150 g de chou rouge émincé • 75 g de châtaignes d'eau émincées • 1 poivron rouge coupé en lanières • sauce moutarde (page 163)

Mélangez bien les légumes dans un saladier. Disposez-les dans les assiettes et répartissez dessus la chair de crabe. Nappez de sauce moutarde et servez.

Analyse nutritionnelle par portion

123 calories   *20 g de protéines*
9 g de glucides   *1 g de lipides*
0 g d'acides gras saturés   *338 mg de sodium*
76 mg de cholestérol   *4 g de fibres*

Salade niçoise

Pour 4 personnes

180 g de thon au naturel bien égoutté et émietté • 4 œufs durs écalés et coupés en quatre • 225 g de haricots verts fins • 225 g de tomates cerises bien mûres, coupées en quatre • 1 poivron vert épépiné et coupé en lanières • 1 concombre coupé en bâtonnets • 55 g de filets d'anchois à l'huile égouttés • 110 g d'olives noires • 110 g de châtaignes d'eau émincées • 5 cuill. à soupe d'huile d'olive • 1 cuill. à soupe de vinaigre de vin blanc • 1 gousse d'ail finement hachée • 2 cuill. à soupe de persil plat finement haché • 1 pincée de sel • 1 pincée de poivre

Faites cuire les haricots verts quelques minutes à l'eau bouillante. Égouttez-les et séchez-les dans du papier absorbant.

Dans un saladier, mélangez les tomates, le poivron et le concombre. Ajoutez-y les anchois, les olives, le thon, les châtaignes d'eau et les quartiers d'œufs.

Mélangez l'huile d'olive, le vinaigre, l'ail, le sel et le poivre dans un bol. Fouttez l'ensemble pour émulsionner.

Versez la vinaigrette sur la salade et parsemez de persil ciselé.

Analyse nutritionnelle par portion

405 calories	26 g de protéines
14 g de glucides	27 g de lipides
5 g d'acides gras saturés	1010 mg de sodium
240 mg de cholestérol	4 g de fibres

Vinaigrette balsamique

Pour 15 cl de sauce

*7,5 cl d'huile d'olive • 7,5 cl de vinaigre balsamique •
2 cuill. à café de thym frais • 1/4 cuill. à café de sel •
1/8 cuill. à café de poivre blanc moulu • 1 cuill. à soupe
de basilic ciselé*

Mélangez l'huile, le vinaigre, le thym, le sel et le poivre
dans un bol et fouettez pour émulsionner. Ajoutez le
basilic et mélangez à nouveau un peu.

Analyse nutritionnelle par portion
90 calories	*0 g de protéines*
2 g de glucides	*9 g de lipides*
1 g d'acides gras saturés	*75 mg de sodium*
0 mg de cholestérol	*0 g de fibres*

Gaspacho

Pour 5 personnes

*225 g de tomates pelées, épépinées et coupées en dés •
60 cl de jus de tomate (ou de légumes mélangés) • 110 g
de céleri en julienne • 110 g de concombre en julienne •
110 g de poivron vert en julienne • 110 g d'oignon
nouveau finement haché • 3 cuill. à soupe de vinaigre de
vin blanc • 2 cuill. à soupe d'huile d'olive • 1 grosse
gousse d'ail écrasée ou finement hachée • 2 cuill. à
soupe de persil plat ciselé • 1/2 cuill. à café de
Worcestershire sauce • 1/2 cuill. à café de sel • 1/2 cuill.
à café de poivre*

Mélangez bien tous les ingrédients dans un saladier. Couvrez avec un film alimentaire et placez au réfrigérateur jusqu'au lendemain. Servez très frais.

Analyse nutritionnelle par portion

117 calories	*2 g de protéines*
13 g de glucides	*6 g de lipides*
1 g d'acides gras saturés	*690 mg de sodium*
0 mg de cholestérol	*4 g de fibres*

Dîners

Poulet en papillotes

Pour 4 personnes

*4 petits blancs de poulet sans peau (environ 500 g) •
2 oignons nouveaux hachés • 1 carotte moyenne, coupée
en rondelles, en biseau • 1 petite courgette détaillée en
demi-rondelles • 1 cuill. à café d'estragon • 1/2 cuill. à
café de zeste d'orange râpé • 1 pincée de sel • 1 pincée
de poivre*

Préchauffez le four à 200 °C (th. 6/7).

Coupez quatre carrés de papier sulfurisé d'environ
30 centimètres de côté. Salez et poivrez les blancs de
poulet. Mettez-en un au centre de chaque carré.

Dans un bol, mélangez les oignons, la carotte, la courgette, l'estragon et le zeste d'orange. Répartissez le
mélange sur les blancs de poulet. Fermez hermétiquement les papillotes. Posez-les sur une plaque, enfournez et faites cuire environ 20 minutes.

Servez très chaud après avoir légèrement ouvert les
papillotes.

Analyse nutritionnelle par portion

144 calories   27 g de protéines
4 g de glucides   2 g de lipides
0 g d'acides gras saturés   86 mg de sodium
65 mg de cholestérol   1 g de fibres

Poulet au vinaigre balsamique

Pour 6 personnes

6 petits blancs de poulet sans peau • 1 1/2 cuill. à café de romarin ciselé • 2 gousses d'ail écrasées ou finement hachées • 2 cuill. à soupe d'huile d'olive • 7,5 cl de vinaigre balsamique • 1/2 cuill. à café de poivre • 1/2 cuill. à café de sel • 4 à 6 cuill. à soupe de vin blanc sec (facultatif)

Essuyez les blancs de poulet avec un papier absorbant.

Mélangez l'huile d'olive, le romarin, l'ail, le poivre et le sel dans un plat creux. Roulez-y les blancs de poulet. Couvrez avec un film alimentaire et laissez mariner au réfrigérateur jusqu'au lendemain.

Préchauffez le four à 200 °C (th. 6/7).

Enduisez une plaque d'huile. Posez-y les blancs de poulet. Enfournez et faites cuire 10 minutes.

Retournez les blancs de poulet et ajoutez 3 à 4 cuillerées à soupe de vin blanc ou d'eau s'ils attachent. Poursuivez la cuisson 10 minutes, en rajoutant éventuellement un peu d'eau ou de vin blanc en cours de cuisson. Sortez le poulet du four et arrosez-le de vinaigre balsamique.

Disposez les blancs de poulet sur un plat de service chaud. Raclez le jus de cuisson et versez-le dessus.

Analyse nutritionnelle par portion
183 calories	*26 g de protéines*
4 g de glucides	*6 g de lipides*
1 g d'acides gras saturés	*270 mg de sodium*
65 mg de cholestérol	*0 g de fibres*

Poulet au gingembre

Pour 4 personnes

4 petits blancs de poulet sans peau • 2 gousses d'ail • 1 cuill. à soupe de jus de citron • 1 1/2 cuill. à café de gingembre frais râpé • 1/2 cuill. à café de poivre

Mélangez le jus de citron, le gingembre, le poivre et l'ail dans un plat creux. Roulez-y les blancs de poulet, couvrez avec un film alimentaire et laissez mariner 30 minutes à 2 heures au réfrigérateur.

Enduisez une poêle d'huile. Faites-la chauffer à feu moyen et faites-y cuire les blancs de poulet environ 8 minutes en les retournant à mi-cuisson.

Analyse nutritionnelle par portion
129 calories	*26 g de protéines*
1 g de glucides	*1 g de lipides*
0 g d'acides gras saturés	*75 mg de sodium*
65 mg de cholestérol	*0 g de fibres*

Poulet sauté au romarin

Pour 4 personnes

4 petits blancs de poulet sans peau • 1 gros oignon émincé • 2 gousses d'ail écrasées ou finement hachées • 10 cl de bouillon de poulet dégraissé • 2 cuill. à soupe d'huile d'olive • 1 cuill. à soupe de romarin ciselé • 1 pincée de sel • 1 pincée de poivre

Faites chauffer l'huile à feu moyen dans une grande poêle. Faites-y revenir les blancs de poulet 4 minutes, retournez-les, puis ajoutez les oignons. Baissez légèrement le feu, couvrez et laissez cuire encore 3 minutes en remuant de temps en temps. Ajoutez l'ail, le romarin et le bouillon, couvrez et poursuivez la cuisson environ 5 minutes, en remuant de temps en temps, jusqu'à ce que les oignons prennent couleur. Salez et poivrez avant de servir.

Analyse nutritionnelle par portion

217 calories	*28 g de protéines*
6 g de glucides	*8 g de lipides*
1 g d'acides gras saturés	*95 mg de sodium*
65 mg de cholestérol	*1 g de fibres*

Côte de bœuf aux herbes

Pour 4 personnes

1 côte de bœuf parfaitement dégraissée (environ 1,6 kg) • 2 cuill. à soupe d'ail finement haché • 2 cuill. à soupe de persil plat ciselé • 2 cuill. à soupe de basilic ciselé • 22,5 cl d'huile d'olive • sel et poivre

Mélangez l'ail, le persil et le basilic ciselé avec l'huile d'olive dans un plat creux. Posez-y la côte de bœuf, salez et poivrez, puis retournez-la plusieurs fois pour l'imprégner du mélange. Couvrez avec un film alimentaire et laissez mariner 24 heures au réfrigérateur.

Préchauffez le four à 180 °C (th. 6).

Égouttez la côte de la marinade. Faites-la revenir 6 à 8 minutes dans une poêle à feu moyen, en la retournant une fois sans piquer la viande.

Posez la côte dans un plat ou sur la lèchefrite, enfournez et faites cuire 25 à 35 minutes selon l'épaisseur de la viande et le degré de cuisson souhaité.

Coupez la côte en tranches après avoir séparé la viande de l'os. Servez aussitôt en arrosant d'un peu de marinade.

Analyse nutritionnelle par portion

885 calories	*59 g de protéines*
5 g de glucides	*68 g de lipides*
13 g d'acides gars saturés	*170 mg de sodium*
105 mg de cholestérol	*1 g de fibres*

Rumsteck à l'origan et aux câpres

Pour 6 personnes

6 pavés de rumsteck (environ 120 g chacun) ou 1 tranche (environ 700 g) • 1 petit oignon rouge • 50 g de câpres • 2 cuill. à soupe d'origan ciselé • 3 gousses d'ail écrasées ou finement hachées • 7,5 cl de vinaigre balsamique • 1/4 cuill. à café de sel • 1/4 de cuill. à café de poivre concassé

Épluchez l'oignon. Émincez-en le quart et hachez finement le reste.

Dans un bol, mélangez l'oignon haché, le vinaigre, les câpres, l'origan et l'ail.

Mettez la moitié de ce mélange dans un plat creux avec l'oignon émincé et posez-y les pavés de rumsteck. Retournez-les plusieurs fois pour bien les enrober. Couvrez avec un film alimentaire et laissez mariner au réfrigérateur jusqu'au lendemain. Réservez le reste de la marinade.

Préchauffez le gril (ou préparez le barbecue) en plaçant la grille à 10 centimètres de la source de chaleur. Quand la résistance est bien rouge, égouttez les pavés de rumsteck, posez-les sur la grille et faites-les cuire 4 à 6 minutes selon leur épaisseur et le degré de cuisson désiré.

Servez sur un plat bien chaud, en versant le reste de la marinade sur la viande.

Variante : *vous pouvez également poêler les pavés marinés.*

Analyse nutritionnelle par portion

176 calories   *19 g de protéines*
3 g de glucides   *9 g de lipides*
4 g d'acides gras saturés   *230 mg de sodium*
50 mg de cholestérol   *1 g de fibres*

Rumsteck grillé à la tomate

Pour 4 personnes

1 tranche de rumsteck (environ 500 g) • 10 cl de jus de tomate • 1 petit oignon finement haché • 5 cl de Worcestershire sauce • 1 cuill. à soupe de jus de citron • 1 gousse d'ail écrasée ou finement hachée • 1/2 cuill. à café de poivre • 1/8 cuill. à café de sel

Mélangez le jus de tomate, la Worcestershire sauce, l'oignon, l'ail, le jus de citron, le sel et le poivre dans un plat creux. Posez-y la tranche de rumsteck, retournez-la plusieurs fois pour bien l'imprégner du mélange. Couvrez avec un film alimentaire et laissez mariner au réfrigérateur pendant 2 heures en retournant une fois la viande sans la piquer.

Préchauffez le gril (ou préparez le barbecue) en plaçant la grille à 10 centimètres de la source de chaleur. Quand la résistance est bien rouge, posez la viande sur la grille et faites-la cuire 6 à 8 minutes selon l'épaisseur du morceau et le degré de cuisson désiré, en l'enduisant régulièrement de marinade avec un pinceau.

Découpez la viande en tranches fines, en biseau. Servez sur un plat chaud.

Analyse nutritionnelle par portion

265 calories *29 g de protéines*
6 g de glucides *13 g de lipides*
6 g d'acides gras saturés *440 mg de sodium*
70 mg de cholestérol *0 g de fibres*

Grillade de bœuf à la bourguignonne

Pour 8 personnes

700 g de bavette ou de rumsteck • 3 gousses d'ail écrasées ou finement hachées • 10 cl de vin rouge sec • 2 cuill. à soupe d'huile d'olive • 3 cuill. à soupe de persil plat ciselé • 1 cuill. à soupe d'origan ciselé • 1 feuille de laurier • 1/2 cuill. à café de poivre

Mélangez l'huile, le vin, l'ail, le persil, l'origan, le laurier, le sel et le poivre dans un plat creux. Placez-y la viande et retournez-la plusieurs fois pour bien l'imprégner du mélange. Couvrez avec un film alimentaire et laissez mariner au réfrigérateur pendant au moins 4 heures et mieux encore jusqu'au lendemain.

Préchauffez le gril (ou préparez le barbecue) en plaçant la grille à 10 centimètres de la source de chaleur. Quand la résistance est bien rouge, posez la viande sur la grille et faites-la cuire 6 à 8 minutes selon l'épaisseur du morceau et le degré de cuisson désiré.

Découpez la viande en tranches fines, en biseau. Servez chaud ou froid.

Analyse nutritionnelle par portion

171 calories	*17 g de protéines*
1 g de glucides	*10 g de lipides*
3 g d'acides gras saturés	*50 mg de sodium*
40 mg de cholestérol	*0 g de fibres*

Bavette aux tomates confites

Pour 2 personnes

2 steaks dans la bavette (environ 150 g chacun) • 2 tomates moyennes coupées en deux • 1 oignon moyen haché • 2 cuill. à soupe d'huile d'olive • 1 gousse d'ail écrasée ou finement hachée • 2 cuill. à soupe de basilic ciselé • 1 pincée de sel • 1 pincée de poivre • quelques feuilles de basilic pour le décor (facultatif)

Préchauffez le gril (ou préparez le barbecue).

Coupez les tomates en deux et épépinez-les. Enduisez-les avec la moitié de l'huile d'olive. Posez-les sur la grille et faites-les cuire environ 3 minutes de chaque côté.

Faites fondre l'oignon et l'ail à feu moyen dans une poêle avec le reste d'huile d'olive, en remuant souvent, jusqu'à ce qu'ils commencent à dorer. Ajoutez le basilic et retirez du feu.

Dès que les tomates sont cuites, mettez-les dans la poêle avec les oignons et gardez-les au chaud.

Posez les steaks sur le gril 6 à 8 minutes selon leur épaisseur, en les retournant à mi-cuisson, sans piquer la viande. Posez-les sur un plat de service bien chaud, salez et poivrez. Disposez les tomates autour et décorez de quelques feuilles de basilic.

Analyse nutritionnelle par portion

366 calories	*31 g de protéines*
11 g de glucides	*22 g de lipides*
5 g d'acides gras saturés	*70 mg de sodium*
85 mg de cholestérol	*3 g de fibres*

Steaks au poivre

Pour 2 personnes

2 tournedos épais (environ 100 à 150 g chacun) • 1 cuill. à soupe de poivre noir concassé • 1/2 cuill. à café de romarin • 1 cuill. à soupe de margarine au tournesol allégée • 1 cuill. à soupe d'huile d'olive • 5 cl de vin rouge sec

Mélangez le poivre et le romarin dans une assiette. Roulez-y les tournedos en appuyant pour que les grains adhèrent à la viande.

Faites chauffer l'huile et la margarine dans une poêle à feu moyen. Faites cuire les steaks 5 à 7 minutes selon leur épaisseur et le degré de cuisson désiré, en les retournant à mi-cuisson, sans piquer la viande.

Placez les steaks sur un plat chaud. Versez le vin dans la poêle et portez à ébullition en raclant bien le fond pour récupérer les sucs. Versez sur les steaks et servez aussitôt.

Analyse nutritionnelle par portion

322 calories	*24 g de protéines*
3 g de glucides	*21 g de lipides*
6 g d'acides gras saturés	*55 mg de sodium*
70 mg de cholestérol	*1 g de fibres*

Saumon poché, sauce tatziki

Pour 6 personnes

6 pavés de saumon épais (environ 100 g chacun) • 45 cl de vin blanc sec • 45 cl d'eau • 1 cube de bouillon de poulet dégraissé • 6 grains de poivre • 4 brins d'aneth • 2 feuilles de laurier • 1 petite branche de céleri émincée • 1 petit citron coupé en tranches

Pour la sauce tatziki : *75 g de concombre pelé, épépiné et haché finement ou râpé • 15 cl de yaourt à 0 % mg • 2 cuill. à soupe d'aneth ciselé • 1 cuill. à café de moutarde forte • quelques brins d'aneth pour le décor (facultatif)*

Versez le vin et l'eau dans une casserole avec le cube de bouillon et portez à ébullition en remuant jusqu'à ce que ce dernier soit complètement dissous. Ajoutez le poivre, l'aneth, le laurier, le céleri et le citron, faites repartir l'ébullition, puis baissez le feu. Couvrez et laissez cuire doucement pendant 10 minutes.

Faites cuire les pavés de saumon dans la casserole à petits frémissements pendant 10 minutes. Sortez-les avec une écumoire et posez-les sur un plat. Couvrez avec un film alimentaire et laissez refroidir.

Préparez la sauce. Mélangez le yaourt et la moutarde dans un bol, ajoutez le concombre et l'aneth et remuez bien.

Servez sur des assiettes froides en nappant chaque pavé d'un peu de sauce. Décorez de quelques brins d'aneth.

Analyse nutritionnelle par portion

260 calories	*24 g de protéines*
5 g de glucides	*13 g de lipides*
3 g d'acides gras saturés	*150 mg de sodium*
70 mg de cholestérol	*0 g de fibres*

Saumon grillé au romarin

Pour 4 personnes

450 g de filet de saumon avec la peau • 2 cuill. à café d'huile d'olive • 2 cuill. à café de jus de citron • 1/4 cuill. à café de sel • 2 gousses d'ail écrasées ou finement hachées • 2 cuill. à café de romarin ciselé • 1 pincée de poivre • câpres (facultatif) • quelques brins de romarin pour le décor (facultatif)

Coupez le filet de saumon en quatre parts égales.

Mélangez l'huile d'olive, le jus de citron, le sel, le poivre, l'ail et le romarin dans un bol et enduisez largement le poisson de cette préparation.

Préchauffez le gril (ou préparez le barbecue) en plaçant la grille à 10 centimètres de la source de chaleur. Quand la résistance est bien rouge, posez les pavés de saumon côté peau sur la grille et faites-les cuire 3 à 6 minutes selon l'épaisseur du morceau et le degré de cuisson désiré. Retournez-les délicatement en les saisissant avec une pince et faites cuire le côté sans peau 2 à 4 minutes.

Décorez de quelques câpres et de brins de romarin. Servez bien chaud.

Analyse nutritionnelle par portion
231 calories   *23 g de protéines*
1 g de glucides   *15 g de lipides*
3 g d'acides gras saturés   *213 mg de sodium*
67 mg de cholestérol   *0 g de fibres*

Cabillaud aux oignons nouveaux et au gingembre

Pour 2 personnes

450 g de filet de cabillaud (ou de tout autre poisson blanc) • 4 oignons nouveaux finement hachés • 7,5 cl de xérès sec ou de vermouth • 2 cuill. à soupe de sauce soja légère • 1 cuill. à soupe d'eau • 2 cuill. à café d'huile de sésame • 1 cuill. à café de gingembre frais râpé • 1 cuill. à café d'ail écrasé ou finement haché

Préchauffez le four à 200 °C (th. 5/6).

Dans un bol, mélangez le xérès (ou le vermouth), la sauce soja, l'huile de sésame, les oignons, le gingembre et l'ail.

Posez le cabillaud dans un plat à four juste assez grand pour le contenir et enduisez-le de marinade. Enfournez et faites cuire environ 12 minutes.

Analyse nutritionnelle

242 calories	*35 g de protéines*
3 g de glucides	*6 g de lipides*
1 g d'acides gras saturés	*1 154 mg de sodium*
45 mg de cholestérol	*1 g de fibres*

Deux laitues au parmesan

Pour 6 à 8 personnes

1 cœur de laitue iceberg lavé, essoré et ciselé • 1 cœur de romaine lavé, essoré et ciselé • 1 ou 2 petites gousses d'ail • 1/4 cuill. à café de sel • 1/2 cuill. à café de poivre • 1 cuill. à café de mayonnaise • 5 à 10 cl de jus de citron • 8 cl d'huile d'olive • 30 g de persil plat ciselé • quelques rondelles d'oignon • 75 g de parmesan râpé + quelques copeaux pour le décor • 1 cuill. à café de vinaigre de vin (facultatif) • quelques lanières de poivron vert pour le décor (facultatif)

Préparez la vinaigrette dans le saladier. Mélangez l'ail, le sel, le poivre et la mayonnaise en remuant jusqu'à obtenir une crème onctueuse. Ajoutez le jus de citron, éventuellement le vinaigre, puis versez doucement l'huile en fouettant pour émulsionner.

Ajoutez les salades ciselées, le persil, le parmesan et remuez délicatement. Décorez avec quelques rondelles d'oignon et saupoudrez de parmesan. Servez très frais.

Variante : *vous pouvez présenter cette salade dans des coupelles individuelles. Décorez-en la surface au dernier moment.*

Analyse nutritionnelle par portion
176 calories	*4 g de protéines*
4 g de glucides	*16 g de lipides*
3 g d'acides gras saturés	*238 mg de sodium*
6 mg de cholestérol	*2 g de fibres*

Brochettes de poisson

Pour 4 personnes

450 g de flétan, d'espadon, de saumon ou de thon coupé en cubes • 1/2 gros oignon rouge coupé en quartiers • 1/2 poivron vert épépiné et coupé en quatre • 1/2 poivron rouge épépiné et coupé en quatre • 4 tomates cerises • 2 cuill. à soupe d'huile d'olive • 2 cuill. à soupe de jus de citron • 1 cuill. à soupe de moutarde forte

Mélangez l'huile, le jus de citron et la moutarde dans un plat à four d'environ 20 centimètres de côté. Placez-y les cubes de poisson sur une seule couche. Couvrez et laissez mariner au réfrigérateur 5 à 10 minutes. Retournez les morceaux de poisson et laissez-les mariner à nouveau 5 minutes.

Égouttez les cubes de poisson et enfilez-les sur des brochettes en alternant avec du poivron, de l'oignon et de la tomate.

Préchauffez le gril (ou préparez le barbecue) en plaçant la grille à 10 centimètres de la source de chaleur. Quand la résistance est bien rouge, posez les brochettes sur la grille. Faites-les cuire 3 à 4 minutes selon le degré de cuisson désiré, en les retournant une ou deux fois délicatement avec une pince et en les badigeonnant régulièrement avec la marinade. Servez aussitôt.

Analyse nutritionnelle par portion

216 calories	25 g de protéines
6 g de glucides	10 g de lipides
1 g d'acides gras saturés	158 mg de sodium
36 mg de cholestérol	1 g de fibres

Espadon grillé

Pour 4 personnes

450 g d'espadon • 2 gousses d'ail finement hachées • 2 cuill. à café d'huile d'olive • 2 cuill. à café de jus de citron • 1/4 cuill. à café de sel • poivre • câpres (facultatif)

Coupez le poisson en quatre.

Mélangez l'huile d'olive, le jus de citron, le sel et l'ail dans un petit bol et enduisez-en largement les morceaux de poisson. Poivrez.

Préchauffez le gril (ou préparez le barbecue) en plaçant la grille à 10 centimètres de la source de chaleur. Quand la résistance est bien rouge, posez les morceaux d'espadon sur la grille. Faites-les cuire 4 à 6 minutes selon leur épaisseur et le degré de cuisson désiré, en les retournant délicatement avec une pince à mi-cuisson.

Ajoutez quelques câpres et servez aussitôt.

Analyse nutritionnelle par portion
120 calories   21 g de protéines
1 g de glucides   3 g de lipides
1 g d'acides gras saturés   245 mg de sodium
83 mg de cholestérol   0 g de fibres

Assortiment de légumes au four

Pour 4 personnes

1 courgette moyenne coupée en cubes • 1 petit quartier de potiron coupé en cubes • 1 poivron rouge moyen épépiné et coupé en morceaux • 1 poivron jaune moyen épépiné et coupé en morceaux • 1 oignon rouge pelé et coupé en quatre • 450 g d'asperges pelées et coupées en morceaux • 3 cuill. à soupe d'huile d'olive • 1 cuill. à café de sel • 1/2 cuill. à café de poivre

Préchauffez le four à 230 °C (th. 7/8).

Mettez les légumes dans un saladier avec l'huile d'olive, le sel et le poivre et mélangez bien. Étalez-les sur une plaque sans qu'ils se chevauchent. Enfournez et faites cuire environ 30 minutes, en les retournant de temps en temps.

Analyse nutritionnelle par portion
170 calories   5 g de protéines
15 g de glucides   11 g de lipides
2 g d'acides gras saturés   586 mg de sodium
0 mg de cholestérol   5 g de fibres

Aubergines et poivrons rôtis

Pour 4 personnes

1 aubergine pelée, coupée en rondelles ou en tranches dans la longueur • 2 poivrons rouges coupés en lanières • 1 poivron vert coupé en lanières • 1 oignon pelé et coupé en rondelles • 7,5 cl d'huile d'olive • quelques feuilles de basilic (facultatif)

Préchauffez le four à 180 °C (th. 6).

Enduisez une plaque d'huile d'olive, puis étalez-y les légumes. Arrosez-les avec le reste d'huile.

Enfournez et faites cuire environ 20 minutes en arrosant de temps en temps avec le jus de cuisson.

Décorez de quelques feuilles de basilic.

Analyse nutritionnelle par portion

193 calories	*2 g de protéines*
16 g de glucides	*14 g de lipides*
2 g d'acides gras saturés	*5 mg de sodium*
0 mg de cholestérol	*5 g de fibres*

Champignons farcis aux épinards

Pour 8 personnes

300 g d'épinards hachés surgelés • 8 gros champignons de Paris • 1/8 cuill. à café de sel • 1 cuill. à soupe d'huile d'olive

Faites bouillir 12 centilitres d'eau avec le sel dans une casserole moyenne. Ajoutez les épinards et faites-les cuire en respectant le temps indiqué sur l'emballage. Égouttez-les bien.

Nettoyez les champignons sans les faire tremper. Coupez la base terreuse des pieds et séparez ceux-ci des têtes. Hachez les pieds.

Faites chauffer l'huile d'olive dans une sauteuse à feu moyen et faites revenir les pieds de champignons hachés environ 3 minutes, en remuant souvent. Placez-les dans un petit saladier.

Mettez les têtes des champignons dans la sauteuse et faites-les revenir 4 à 5 minutes en les retournant une ou deux fois. Rangez-les dans un plat à four.

Mélangez les épinards aux pieds de champignons hachés et remplissez-en les têtes. Faites réchauffer à four doux (160 °C-th.5/6) environ 10 minutes.

Analyse nutritionnelle par portion
33 calories   *2 g de protéines*
3 g de glucides   *2 g de lipides*
0 g d'acides gras saturés   *74 mg de sodium*
0 mg de cholestérol   *2 g de fibres*

Purée surprise Miami

Pour 2 personnes

450 g de bouquets de chou-fleur • 20 g de beurre allégé • 1 cuill. à café de crème liquide à 8 % mg • 1 pincée de sel • 1 pincée de poivre

Faites cuire les bouquets de chou-fleur environ 10 minutes à la vapeur. Écrasez-les en purée au moulin à légumes à grille fine ou à la fourchette. Ajoutez la crème et le beurre et mélangez bien. Salez et poivrez.

81 calories   *2 g de protéines*
5 g de glucides   *6 g de lipides*
2 g d'acides gras saturés   *82 mg de sodium*
4 mg de cholestérol   *3 g de fibres*

Tomates étuvées aux oignons

Pour 6 personnes

700 g de tomates pelées, coupées en cubes • 60 g de poivron vert en julienne • 30 g de céleri émincé • 1 petit oignon haché • 1 gousse d'ail écrasée ou finement hachée • 1 cuill. à soupe de vinaigre de vin rouge • 1/8 cuill. à café de poivre

Enduisez une poêle d'huile et faites-la chauffer à feu moyen. Ajoutez les poivrons, le céleri, l'oignon et l'ail et faites-les revenir environ 5 minutes à feu doux. Ajoutez les tomates et les autres ingrédients, portez à ébullition, puis couvrez et laissez mijoter 15 minutes à feu très doux en remuant de temps en temps.

Analyse nutritionnelle par portion
29 calories   *1 g de protéines*
7 g de glucides   *0 g de lipides*
0 g d'acides gras saturés   *10 mg de sodium*
0 mg de cholestérol   *1 g de fibres*

Tomates grillées

Pour 2 personnes

2 grosses tomates mûres mais fermes • 1 pincée de sel (facultatif) • 1 pincée de poivre (facultatif)

Coupez les tomates en deux horizontalement et épépinez-les. Salez et poivrez légèrement.

Faites-les griller au barbecue ou sous le gril du four, en plaçant le côté coupé vers la source de chaleur. Faites les cuire 7 à 10 minutes.

Analyse nutritionnelle par portion

38 calories	*2 g de protéines*
8 g de glucides	*1 g de lipides*
0 g d'acides gras saturés	*16 mg de sodium*
0 mg de cholestérol	*2 g de fibres*

Tomates grillées au pesto

Pour 6 personnes

3 grosses tomates mûres mais fermes • 2 gousses d'ail pelées • 3 cuill. à soupe de basilic ciselé • 2 cuill. à soupe d'huile d'olive • 40 g de parmesan râpé • 2 cuill. à soupe de pignons de pin

Coupez les tomates en deux horizontalement et épépinez-les.

Mixez l'ail, le basilic, l'huile d'olive, le parmesan et les pignons jusqu'à obtenir une purée épaisse.

Remplissez les tomates de cette préparation, posez-les sur la grille du four à environ 10 centimètres de la résistance bien rouge et faites-les griller 3 à 5 minutes.

90 calories   *3 g de protéines*
4 g de glucides   *7 g de lipides*
23 g d'acides gras saturés   *68 mg de sodium*
3 mg de cholestérol   *1 g de fibres*

Sauce moutarde

Pour 14 portions

225 g de mayonnaise • 1 cuill. à soupe de moutarde de votre choix + 1/2 cuill. à 1 cuill. à café (selon le goût) • 2 cuill. à café de Worcestershire sauce • 1 cuill. à café de concentré de tomates • 1 cuill. à soupe de crème liquide à 8 % mg • 1 cuill. à soupe de lait écrémé • sel

Dans un grand bol, fouettez la mayonnaise avec 1 cuillerée de moutarde, la Worcestershire sauce, le concentré de tomates, le lait et la crème jusqu'à obtenir un mélange onctueux. Ajoutez éventuellement un peu de moutarde. Couvrez avec un film alimentaire et placez au réfrigérateur jusqu'au moment de servir.

Cette sauce fait merveille avec du crabe. C'est ainsi qu'elle vous sera servie si vous avez l'occasion de passer par Miami...

Analyse nutritionnelle par portion
109 calories   *0 g de protéines*
0 g de glucides   *12 g de lipides*
2 g d'acides gras saturés   *87 mg de sodium*
6 mg de cholestérol   *0 g de fibres*

Salade de pois gourmands

Pour 4 personnes

450 g de pois gourmands • 1 botte de radis coupés en rondelles • 5 cl de vinaigre de riz • 1 cuill. à soupe d'huile de colza • 1/4 cuill. à café de sel • 1/8 cuill. à café de poivre • 2 cuill. à soupe de coriandre ciselée

Mélangez le vinaigre, l'huile, le sel et le poivre dans un saladier. Ajoutez les pois gourmands, les rondelles de radis et une partie de la coriandre. Remuez délicatement. Parsemez le reste de la coriandre et servez frais.

Analyse nutritionnelle par portion

224 calories	*15 g de protéines*
18 g de glucides	*12 g de lipides*
1 g d'acides gras saturés	*479 mg de sodium*
0 mg de cholestérol	*6 g de fibres*

Chou en salade à l'orientale

Pour 2 personnes

1/2 petit cœur de chou vert (ou blanc) • 3 oignons nouveaux finement hachés • 2 cuill. à soupe d'huile de sésame • 2 cuill. à soupe de vinaigre de riz • 2 cuill. à soupe de graines de sésame

Faites dorer les graines de sésame à sec dans une poêle. Réservez-les.

Émincez le chou. Mettez-le dans un saladier avec les oignons, l'huile et le vinaigre et mélangez bien. Placez au réfrigérateur jusqu'au moment de servir.

Parsemez la salade de graines de sésame. Mélangez à nouveau avant de servir.

Analyse nutritionnelle par portion

103 calories	2 g de protéines
5 g de glucides	9 g de lipides
1 g d'acides gras saturés	15 mg de sodium
0 mg de cholestérol	2 g de fibres

En-cas

Hoummous

Pour 5 personnes

425 g de pois chiches au naturel • 2 cuill. à soupe de jus de citron • 110 g de tahin (pâte de sésame) • 30 g d'oignon finement haché • 3 gousses d'ail écrasées ou finement hachées • 2 cuill. à café d'huile d'olive • 2 cuill. à café de cumin moulu • 1/8 cuill. à café de paprika • 1/2 cuill. à café de sel • persil plat ciselé (facultatif)

Égouttez les pois chiches en réservant le liquide et rincez-les rapidement.

Mixez les pois chiches, le jus de citron, le tahin, l'oignon, l'ail, l'huile, le cumin, le paprika et le sel, en ajoutant régulièrement un peu du liquide réservé jusqu'à obtenir une purée onctueuse.

Mettez dans un saladier, couvrez avec un film alimentaire et placez au réfrigérateur pendant 3 à 4 heures pour que les saveurs se développent.

Servez en saupoudrant la surface de persil ciselé.

Analyse nutritionnelle par portion

251 calories   *8 g de protéines*
23 g de glucides   *16 g de lipides*
2 g d'acides gras saturés   *447 mg de sodium*
0 mg de cholestérol   *5 g de fibres*

Roulades de dinde

Pour 2 personnes

4 fines escalopes de dinde • 4 feuilles de laitue • 4 petits oignons nouveaux • 4 lanières de poivron rouge • mayonnaise à la coriandre (voir ci-dessous)

Placez une escalope sur chaque feuille de laitue et nappez-la légèrement de mayonnaise à la coriandre. Ajoutez un petit oignon et une lanière de poivron. Servez sous forme de rouleau.

Analyse nutritionnelle par portion

54 calories   *10 g de protéines*
2 g de glucides   *1 g de lipides*
0 g d'acides gras saturés   *604 mg de sodium*
17 mg de cholestérol   *1 g de fibres*

Mayonnaise à la coriandre

Pour 10 portions

175 g de mayonnaise allégée • 4 cuill. à soupe de coriandre ciselée • 1 cuill. à soupe de jus de citron vert • 1 cuill. à café de sauce soja • 1 petite gousse d'ail écrasée

Fouettez tous les ingrédients dans un grand bol jusqu'à obtenir un mélange onctueux et homogène. Couvrez avec un film alimentaire et placez au réfrigérateur jusqu'au moment de servir.

Analyse nutritionnelle par portion

36 calories	*0 g de protéines*
3 g de glucides	*3 g de lipides*
1 g d'acides gras saturés	*104 mg de sodium*
4 mg de cholestérol	*0 g de fibres*

Desserts

Crème au citron

Pour 1 personne

100 g de ricotta • 1/4 cuill. à café de zeste de citron râpé • 1/4 cuill. à café d'extrait de vanille • 1/4 cuill. à café d'aspartam en poudre

Fouettez tous les ingrédients jusqu'à obtenir un mélange léger et onctueux. Couvrez avec un film alimentaire et placez au réfrigérateur. Servez très frais.

Analyse nutritionnelle par portion

165 calories	*8 g de protéines*
4 g de glucides	*13 g de lipides*
6 g d'acides gras saturés	*155 mg de sodium*
38 mg de cholestérol	*0 g de fibres*

Crème à l'amande

Pour 1 personne

100 g de ricotta • 1/4 cuill. à café d'extrait d'amande • 1/4 cuill. à café d'aspartam en poudre • 1 cuill. à café d'amandes effilées grillées

Fouettez la ricotta, l'extrait d'amande et l'aspartam jusqu'à obtenir un mélange léger et onctueux. Couvrez avec un film alimentaire et placez au réfrigérateur. Servez très frais en parsemant d'amandes effilées.

Analyse nutritionnelle par portion

179 calories	*9 g de protéines*
5 g de glucides	*14 g de lipides*
6 g d'acides gras saturés	*155 mg de sodium*
38 mg de cholestérol	*0 g de fibres*

Crème à la vanille

Pour 1 personne

100 g de ricotta • 1/4 cuill. à café d'extrait de vanille • 1/4 cuill. à café d'aspartam en poudre

Fouettez tous les ingrédients jusqu'à obtenir un mélange léger et onctueux. Couvrez avec un film alimentaire et placez au réfrigérateur. Servez très frais.

Analyse nutritionnelle par portion

165 calories	*8 g de protéines*
4 g de glucides	*13 g de lipides*
6 g d'acides gras saturés	*155 mg de sodium*
38 mg de cholestérol	*0 g de fibres*

Crème au moka

Pour 1 personne

100 g de ricotta • quelques gouttes d'extrait de café (selon le goût) • 1/4 cuill. à café d'extrait de vanille • 1/4 cuill. à café d'aspartam en poudre • 1/2 cuill. à café de cacao en poudre non sucré • quelques copeaux de chocolat

Fouettez la ricotta, l'extrait de café, l'extrait de vanille et l'aspartam jusqu'à obtenir un mélange léger et onctueux. Couvrez avec un film alimentaire et placez au réfrigérateur. Servez très frais en saupoudrant la surface de cacao en poudre et de copeaux de chocolat.

Analyse nutritionnelle par portion

248 calories	9 g de protéines
14 g de glucides	17 g de lipides
9 g d'acides gras saturés	166 mg de sodium
42 mg de cholestérol	0 g de fibres

Crème aux zestes de citron vert

Pour 1 personne

100 g de ricotta • 1/4 cuill. à café de zeste de citron vert râpé • 1/4 cuill. à café d'extrait de vanille • 1/4 cuill. à café d'aspartam en poudre

Fouettez tous les ingrédients jusqu'à obtenir un mélange léger et onctueux. Couvrez avec un film alimentaire et placez au réfrigérateur. Servez très frais.

Analyse nutritionnelle par portion
165 calories   *8 g de protéines*
7 g de glucides   *4 g de lipides*
6 g d'acides gras saturés   *155 mg de sodium*
38 mg de cholestérol   *0 g de fibres*

Entremets à l'amande

Pour 1 personne

15 cl d'eau • 1 feuille de gélatine • 1 ou 2 gouttes d'extrait d'amande • 1/4 cuill. à café d'aspartam en poudre

Faites tremper la gélatine dans l'eau froide, puis égouttez-la bien.

Versez l'eau dans une petite casserole et faites-la chauffer doucement. Ajoutez la gélatine et remuez jusqu'à ce qu'elle ait fondu. Ajoutez l'aspartam et l'extrait d'amande, puis mélangez bien.

Versez dans une petite coupelle et placez au réfrigérateur pour que la gelée prenne.

En phase 2, vous pouvez ajouter 1 cuillerée à soupe de lait écrémé en poudre.

Analyse nutritionnelle par portion
0 calorie   *0 g de protéines*
0 g de glucides   *0 g de lipides*
0 g d'acides gras saturés   *0 mg de sodium*
0 mg de cholestérol   *0 g de fibres*

15

Menus quotidiens en phase 2

Après les deux semaines de régime strict, vous pouvez commencer la phase 2. Il faut réintroduire dans votre alimentation quelques glucides bons pour la santé : fruits, pain et riz complets, patates douces, pâtes à la farine complète. La perte de poids est alors un peu moins rapide, et certains préfèrent poursuivre la phase 1. Vous pouvez le faire pendant une à deux semaines si vous vous y sentez prêt, mais n'oubliez pas qu'à long terme, la variété relativement limitée des aliments peut présenter des inconvénients. Vous devez rester en phase 2 le temps nécessaire pour atteindre votre poids idéal. Le régime Miami est toutefois très souple. S'il vous arrive de faire un écart, de craquer pour des sucreries et de reprendre quelques kilos, remettez-vous simplement en phase 1 le temps d'éliminer le poids repris. Cette flexibilité caractéristique du régime Miami permet de s'adapter aux réalités de la vie.

Jour 1

Petit déjeuner

- 150 g de fraises
- 100 g de porridge avec 20 cl de lait écrémé, saupou-dré de cannelle et de 1 cuillerée à soupe de noix hachées
- Café décaféiné ou thé déthéiné avec du lait écrémé et de l'aspartam

Matinée
- 1 œuf dur

Déjeuner

- Salade de poulet au boulgour (page 258)

Après-midi
- 1 poire + 1 portion de fromage fondu allégé

Dîner

- Pavé de saumon aux épinards (page 275)
- Mélange de légumes rôtis (page 285)
- Salade mélangée (salade verte, concombre, poivron vert, tomates cerises)
- Huile d'olive et vinaigre pour l'assaisonnement

Soirée
- Fraises déguisées au chocolat (page 289)

Jour 2

Petit déjeuner

– Milk-shake aux fruits rouges (2 yaourts à 0 % mg
  + 75 g de fruits rouges mixés avec de la glace pilée)
– Café décaféiné ou thé déthéiné avec du lait écrémé
  et de l'aspartam

Matinée

– 1 œuf dur

Déjeuner

– Salade de couscous au poulet et au citron (page 259)
– Tomates et concombre en rondelles

Après-midi

– 1 yaourt à 0 % mg

Dîner

– Pain de viande (page 271)
– Asperges à la vapeur
– Champignons sautés à l'huile d'olive
– Salade de tomates avec quelques rondelles d'oignon
  doux et un filet d'huile d'olive

Soirée

– 1 tranche de melon + 2 cuill. à soupe de ricotta

Jour 3

Petit déjeuner

- 50 g de céréales riches en fibres + 15 cl de lait écrémé
- 110 g de fraises fraîches
- Café décaféiné ou thé déthéiné avec du lait écrémé et de l'aspartam

Matinée

- 1 petite granny smith

Déjeuner

- Salade grecque (page 187)

Après-midi

- 1 yaourt à 0 % mg

Dîner

- Poulet grillé aux herbes (page 267)
- Terrine de chou en gelée (page 281)
- Julienne de courgette et potiron à la vapeur

Soirée

- 1 poire avec de la ricotta et des noisettes

Jour 4

Petit déjeuner

- 1/2 pamplemousse
- 1 tranche de pain complet grillé + 30 g d'emmental allégé (éventuellement passé au four)
- Café décaféiné ou thé déthéiné avec du lait écrémé et de l'aspartam

Matinée

- 1 yaourt à 0 % mg

Déjeuner

- Salade du chef (salade mélangée agrémentée d'au moins 25 g de jambon, autant de blanc de poulet et de fromage allégé)
- 2 cuill. à soupe de vinaigrette balsamique (page 196) pour l'assaisonnement

Après-midi

- 1 petite granny smith + 1 portion de fromage fondu allégé

Dîner

- Papillote de poulet et de légumes à l'asiatique (page 269)
- Chou en salade à l'orientale (page 220)

Soirée

- Crème à l'amande (page 228)

Jour 5

Petit déjeuner

– Milk-shake aux fruits rouges (2 yaourts à 0% mg
  + 75 g de fruits rouges mixés avec de la glace pilée)
– Café décaféiné ou thé déthéiné avec du lait écrémé
  et de l'aspartam

Matinée

– 1 œuf dur

Déjeuner

– Tartine au bœuf (1 tranche de pain complet + 75 g
  de rosbif maigre + laitue, oignon et moutarde)

Après-midi

– 1 yaourt à 0% mg

Dîner

– Poêlée de poulet aux légumes (page 265)
– Salade mélangée (salade verte, concombre, poivron
  vert, tomates cerises)
– Huile d'olive et vinaigre pour l'assaisonnement

Soirée

– 1 faisselle à 0% mg + 3 ou 4 fraises coupées en
  lamelles

Jour 6

Petit déjeuner

- 15 cl de jus de légumes
- 1 œuf coque
- 1 tranche de pain complet ou 1 biscuit à la farine complète
- Café décaféiné ou thé déthéiné avec du lait écrémé et de l'aspartam

Matinée

- 1 petite granny smith

Déjeuner

- 1 faisselle à 0 % mg + 1/2 petit melon
- 4 biscuits à la farine complète
- Entremets à l'amande (page 230)

Après-midi

- Bâtonnets de légumes crus avec du hoummous (page 223)

Dîner

- Poulet sauté au vin blanc (page 266)
- Tagliatelles de potiron à l'italienne (page 277)
- Salade de roquette et de pousses d'épinards aux noix
- Huile d'olive et vinaigre pour l'assaisonnement

Soirée

- Mendiant aux pistaches (page 290)

Jour 7

Petit déjeuner

- 1/2 petit melon
- 1 tranche de pain complet grillé + 30 g d'emmental allégé (éventuellement passé au four)
- Café décaféiné ou thé déthéiné avec du lait écrémé et de l'aspartam

Matinée

- 1 yaourt à 0 % mg

Déjeuner

- Tomate farcie au thon (90 g de thon au naturel + 1 cuill. à soupe de céleri émincé + 1 cuill. à soupe de mayonnaise) servie sur quelques feuilles de laitue

Après-midi

- Bâtonnets de légumes crus avec du hoummous (page 223)

Dîner

- Rumsteck à l'origan et aux câpres (page 203)
- Haricots verts, haricots beurre et poivrons sautés à l'huile d'olive
- Purée surprise Miami (page 216)
- Salade mélangée (salade verte, concombre, poivron vert, tomates cerises)
- Huile d'olive et vinaigre pour l'assaisonnement

Soirée

- Melon en salade (avec un peu de jus de citron vert)

Jour 8

Petit déjeuner

– Coupe aux fraises (page 291)
– Café décaféiné ou thé déthéiné avec du lait écrémé
  et de l'aspartam

Matinée

– 1 œuf dur

Déjeuner

– Poulet en salade aux pommes et aux noix (page 257)

Après-midi

– 1 yaourt à 0 % mg

Dîner

– Filets de sole grillés, sauce légère à la crème
  (page 276)
– Tomates grillées (page 218)
– Salade verte
– Huile d'olive et vinaigre pour l'assaisonnement

Soirée

– Crème au citron (page 227)

Jour 9

Petit déjeuner

- Œufs à la florentine (1 œuf poché servi avec 100 g d'épinards revenus à l'huile d'olive)
- Café décaféiné ou thé déthéiné avec du lait écrémé et de l'aspartam

Matinée

- 1 petite granny smith

Déjeuner

- Salade de couscous à la tomate et au basilic (page 259)

Après-midi

- 1 yaourt à 0 % mg

Dîner

- Poulet aux épices (page 268)
- Salade mélangée (salade verte, concombre, poivron vert, tomates cerises)
- 2 cuill. à soupe de vinaigrette balsamique (page 196) pour l'assaisonnement

Soirée

- Coupe au chocolat (page 291)

Jour 10

Petit déjeuner

– Petite crêpe aux épices (page 253)
– Café décaféiné ou thé déthéiné avec du lait écrémé
  et de l'aspartam

Matinée

– 1 petite granny smith

Déjeuner

– Salade fruitée de poulet aux pousses d'épinards
  (page 256)

Après-midi

– 1 yaourt à 0 % mg

Dîner

– Pain de viande (page 271)
– Tagliatelles de potiron à l'italienne (page 277)

Soirée

– Fraises + aspartam en poudre et un peu de crème
  liquide à 8 % mg

Jour 11

Petit déjeuner

- 110 g de fraises
- 50 g de céréales riches en fibres et sans sucre + 15 cl de lait écrémé
- Café décaféiné ou thé déthéiné avec du lait écrémé et de l'aspartam

Matinée
- 1 œuf dur

Déjeuner

- Pita à la dinde et à la tomate (1 pita à la farine complète + 75 g de blanc de dinde émincé, 3 rondelles de tomate, 1 petite poignée de salade ciselée et 1 cuill. à café de moutarde forte)

Après-midi
- 1 yaourt à 0 % mg

Dîner

- Cabillaud en papillote (page 277)
- Salade verte
- Huile d'olive et vinaigre pour l'assaisonnement

Soirée
- 1 pomme cuite

Jour 12

Petit déjeuner

- 1/2 pamplemousse
- 1 œuf (cuisson au choix)
- 2 tranches de pain aux céréales
- Compote ou confiture allégée
- Café décaféiné ou thé déthéiné avec du lait écrémé et de l'aspartam

Matinée
- 1 morceau de fromage allégé

Déjeuner

- Potage à la tomate (page 262)
- 1/2 pita à la farine complète garnie de steak maigre émincé + 1 rondelle de tomate et 1 rondelle d'oignon

Après-midi
- Bâtonnets de légumes crus avec du hoummous (page 223)

Dîner

- Poulet grillé, sauce tatziki (page 280)
- Asperges à la vapeur servies avec un filet d'huile d'olive
- Salade mélangée (salade verte, concombre, poivron vert, tomates cerises)
- 2 cuill. à soupe de vinaigrette balsamique (page 196) pour l'assaisonnement

Soirée
- 1 poire + ricotta et noix

Jour 13

Petit déjeuner

– 110 g de baies rouges (airelles, myrtilles...)
– 1 œuf brouillé, sauce tomate (*facultatif*)
– 60 g de céréales sans sucre + 22,5 cl de lait écrémé tiède, 1 pincée de cannelle et 1 cuill. à soupe de noix hachées
– Café décaféiné ou thé déthéiné avec du lait écrémé et de l'aspartam

Matinée

– 1 yaourt à 0 % mg

Déjeuner

– Salade de thon (80 g de thon au naturel + 1 cuill. à soupe de céleri en julienne, 1 cuill. à soupe de mayonnaise, 3 rondelles de tomate et 3 rondelles d'oignon) dans 1 pita à la farine complète

Après-midi

– 1 morceau de fromage allégé

Dîner

– Rumsteck poêlé aux oignons (page 270)
– Salade Miami (page 279)
– Brocolis à la vapeur

Soirée

– Fraises déguisées au chocolat (page 289)

Jour 14

Petit déjeuner

- 15 cl de cocktail de jus de légumes
- Œufs au bacon
- 1 tranche de pain aux céréales grillé
- Café décaféiné ou thé déthéiné avec du lait écrémé et de l'aspartam

Matinée
- 1 yaourt à 0 % mg

Déjeuner

- Pizza Portobello (page 261)

Après-midi
- 1 petite granny smith + 1 portion de fromage fondu allégé

Dîner

- Saumon grillé
- Couscous
- Asperges en salade (page 283)

Soirée
- Fraises
- Crème aux zestes de citron vert (page 229)

Aliments à réintroduire

Fruits
Abricots frais
Abricots secs
Airelles et myrtilles
Cerises
Fraises
Kiwi
Mangue
Melon
Oranges
Pamplemousse
Pêches
Poires
Pommes
Prunes
Raisins

Laitages
Lait écrémé
Yaourts allégés aux fruits
Yaourts allégés ou à 0 % mg

Féculents (en petite quantité)
Biscuits sans sucre, à la farine complète
Céréales sans sucre ajouté
Flocons d'avoine
Pain aux céréales
Pain complet
Pain de seigle
Pâtes à la farine complète
Popcorn
Riz brun
Riz sauvage

Légumes
Petites patates douces
Petits pois

Divers
Chocolat noir et extra-noir
Vin rouge

Aliments interdits ou à consommer en très faible quantité

Féculents et pains
Biscuits
Farine
Pain blanc
Pains industriels
Pâtes à la farine blanche
Pommes de terre
Produits industriels à base de pomme de terre
Riz blanc

Légumes
Betterave
Carotte
Maïs
Pommes de terre

Fruits
Ananas
Banane
Jus de fruits (frais ou non)
Pastèque
Raisin

Divers
Confiture
Glaces
Miel

16

Recettes phase 2

Vous avez maintenant résolu vos problèmes de résistance à l'insuline. «Allégé» de quelques kilos, vous êtes prêt à entreprendre un régime plus long.

Progressivement, vous allez réintroduire les bons glucides dans votre alimentation, en commençant par ceux à faible indice glycémique comme les flocons d'avoine et le couscous complet. Bien sûr, tous ne figurent pas dans les recettes proposées, mais sont autorisés dans vos menus quotidiens. Vous pouvez même vous accorder de savoureux desserts comme les fraises déguisées au chocolat.

Petits déjeuners

Petite crêpe aux épices

Pour 1 personne

*60 g de flocons d'avoine • 60 g de faisselle à 20 % mg •
4 blancs d'œufs • 1 cuill. à café d'extrait de vanille •
1/4 cuill. à café de cannelle en poudre • 1/4 cuill. à café
de noix muscade*

Fouettez les flocons d'avoine, la faisselle, les blancs
d'œufs, l'extrait de vanille, la cannelle et la noix muscade jusqu'à obtenir un mélange onctueux. Enduisez
une poêle à crêpe d'huile, versez-y la pâte et faites cuire
à feu modéré en retournant la crêpe une fois.

Analyse nutritionnelle par portion

288 calories   *28 g de protéines*
32 g de glucides   *4 g de lipides*
1 g d'acides gras saturés *451 mg de sodium*
5 mg de cholestérol   *5 g de fibres*

Coupes aux fraises

Pour 2 personnes

*150 g de fraises coupées en lamelles • 225 g de yaourt à
0 % mg • 50 g de céréales sans sucre*

Alternez les ingrédients en trois couches régulières dans
des coupelles. Servez très frais.

Analyse nutritionnelle par portion

185 calories	*8 g de protéines*
37 g de glucides	*1 g de lipides*
0 g d'acides gras saturés	*102 mg de sodium*
3 mg de cholestérol	*6 g de fibres*

Déjeuners

Salade tiède de pousses d'épinards au saumon

Pour 4 personnes

4 pavés de saumon épais (environ 100 g chacun) • 225 g de pousses d'épinards lavées et séchées • 500 g de tomates fraîches, pelées, épépinées et coupées en cubes • 60 g d'oignon haché • 2 cuill. à soupe d'huile d'olive • 1/4 cuill. à café de sel • 1/8 cuill. à café de poivre • 1 cuill. à soupe de persil plat ciselé (facultatif)

Faites cuire les pavés de saumon comme dans la recette du « saumon poché, sauce tatziki » (page 208). Égouttez-les bien et posez-les sur une assiette.

Faites chauffer 1 cuillerée à soupe d'huile d'olive dans une poêle à feu moyen. Ajoutez les épinards et faites-les revenir 1 min 30, en remuant souvent. Salez et poivrez, mélangez bien, puis répartissez les épinards dans les assiettes.

Versez le reste d'huile dans la poêle et faites revenir les oignons et les tomates à feu moyen 5 à 6 minutes.

Disposez les pavés de saumon sur les épinards, nappez-les de fondue de tomate à l'oignon et parsemez la surface de persil. Servez tiède.

Analyse nutritionnelle par portion

98 calories *2 g de protéines*
9 g de glucides *7 g de lipides*
1 g d'acides gras saturés *162 mg de sodium*
0 mg de cholestérol *2 g de fibres*

Salade fruitée de poulet aux pousses d'épinards

Pour 4 personnes

2 blancs de poulet sans peau (environ 350 g) • 8 poignées de pousses d'épinards ciselées (ou de salade mélangée) • 75 g de framboises fraîches • 1 papaye pelée, épépinée et émincée (ou 2 pêches ou 2 brugnons moyens) • 5 cl de vinaigre de framboise ou de vinaigre de vin blanc • 5 cuill. à soupe d'huile d'olive • 1 cuill. à café de miel liquide • 1/2 cuill. à café de zeste d'orange râpé • 1/8 cuill. à café de sel • 1/4 cuill. à café de poivre

Émulsionnez le vinaigre, 4 cuillerées à soupe d'huile, le miel, le zeste d'orange, le sel et le poivre. Placez au réfrigérateur jusqu'au moment de servir.

Faites cuire les blancs de poulet 8 à 10 minutes à feu moyen dans une poêle avec le reste d'huile, en les retournant fréquemment. Sortez-les de la poêle, laissez-les refroidir, puis coupez-les en lamelles.

Mélangez les pousses d'épinards (ou la salade) et le poulet dans un saladier. Fouettez à nouveau la vinaigrette, versez-la dessus, ajoutez les framboises et remuez délicatement.

Répartissez la salade dans les assiettes, puis disposez les lamelles de papaye, de pêche ou de nectarine.

Analyse nutritionnelle par portion

320 calories	*22 g de protéines*
16 g de glucides	*19 g de lipides*
3 g d'acides gras saturés	*199 mg de sodium*
49 mg de cholestérol	*5 g de fibres*

Poulet en salade
aux pommes et aux noix

Pour 2 personnes

1 blanc de poulet cuit (environ 150 g) • 1 cœur de laitue • 50 g de céleri émincé • 80 g de pomme coupée en dés • 50 g de noix concassées • 1 cuill. à soupe de raisins secs

Pour la vinaigrette : *1 cuill. à soupe de vinaigre de cidre • 1 cuill. à soupe d'huile de colza*

Coupez le blanc de poulet en dés ou en lamelles.

Mélangez délicatement le poulet, le céleri et les dés de pomme dans un saladier. Fouettez légèrement l'huile et le vinaigre dans un bol, puis versez dans le saladier et remuez bien.

Ciselez le cœur de laitue et recouvrez-en les assiettes. Répartissez le poulet dessus et parsemez de noix hachées.

Analyse nutritionnelle par portion

279 calories	*18 g de protéines*
9 g de glucides	*19 g de lipides*
1 g d'acides gras saturés	*86 mg de sodium*
56 mg de cholestérol	*1 g de fibres*

Salade de poulet au boulgour

Pour 6 personnes

450 g de blancs de poulet sans peau • 350 g de boulgour préparé • 150 g de concombre coupé en dés • 300 g de tomates coupées en dés • 100 g d'oignons nouveaux émincés • 1 cuill. à soupe d'huile d'olive • 4 cuill. à soupe de persil plat ciselé • quelques belles feuilles de laitue

Pour l'assaisonnement : *2 cuill. à soupe de jus de citron • 1 1/2 cuill. à soupe d'huile d'olive • 1 cuill. à soupe d'eau • 1 cuill. à café de concentré de tomates • quelques gouttes de Tabasco • 1 cuill. à soupe de menthe ciselée*

Préparez l'assaisonnement. Fouettez le jus de citron, l'huile d'olive, l'eau, le concentré de tomates, le Tabasco et la menthe. Couvrez avec un film alimentaire et placez au réfrigérateur jusqu'au moment de servir.

Faites cuire les blancs de poulet 8 à 10 minutes à feu moyen dans une poêle avec le reste d'huile, en les retournant fréquemment. Coupez-les en dés ou en lamelles. Laissez tiédir, puis placez au réfrigérateur.

Dans un saladier, mélangez le poulet avec le boulgour, le concombre, les tomates, l'oignon et le persil. Versez l'assaisonnement et remuez délicatement.

Recouvrez les assiettes de feuilles de laitue et répartissez la salade de poulet dessus. Servez bien frais.

Analyse nutritionnelle par portion

346 calories	22 g de protéines
46 g de glucides	8 g de lipides
0 g d'acides gras saturés	62 mg de sodium
50 mg de cholestérol	1 g de fibres

Salade de couscous
à la tomate et au basilic

Pour 6 personnes

150 g de semoule de couscous préparée • 1 tomate coupée en dés • 50 g de pois chiches en conserve rincés et égouttés • 1 cœur de laitue • 2 oignons nouveaux émincés • 1 cuill. à café d'huile d'olive • 1 cuill. à soupe de jus de citron • 1 cuill. à soupe de basilic ciselé

Ciselez la laitue et recouvrez-en les assiettes.

Réunissez tous les autres ingrédients dans un saladier et mélangez-les bien. Répartissez dans les assiettes et servez.

Analyse nutritionnelle par portion

43 calories	*2 g de protéines*
7 g de glucides	*1 g de lipides*
0 g d'acides gras saturés	*0 mg de sodium*
0 mg de cholestérol	*1 g de fibres*

Salade de couscous
au poulet et au citron

Pour 4 personnes

350 g de blancs de poulet cuit, coupés en dés ou en lamelles • 175 g de semoule de couscous • 350 g de bouquets de brocolis • 28 cl d'eau • 3 cuill. à soupe de jus de citron • 1 cuill. à soupe d'huile d'olive • 1/4 cuill. à café de zeste de citron râpé

Faites cuire les bouquets de brocolis 7 à 8 minutes à la vapeur et laissez-les refroidir.

Mettez l'eau, le jus de citron, l'huile d'olive et le zeste dans une casserole et portez doucement à ébullition. Versez le mélange bouillant sur la semoule, couvrez et laissez gonfler environ 3 minutes. Égrenez ensuite avec une fourchette. Laissez refroidir.

Mélangez le poulet à la semoule et versez l'ensemble dans un saladier. Disposez les bouquets de brocoli dessus et placez au réfrigérateur jusqu'au moment de servir.

Analyse nutritionnelle par portion

311 calories	*24 g de protéines*
39 g de glucides	*7 g de lipides*
1 g d'acides gras saturés	*476 mg de sodium*
45 mg de cholestérol	*3 g de fibres*

Salade de betterave en vinaigrette d'agrumes

Déjeuner ou dîner en phase 2.

Pour 1 personne

1 betterave rouge moyenne, cuite • 1 poivron rouge • 5 cl de vinaigre de Xérès • 1 cœur de chicorée finement ciselé • 1 poignée de feuilles de frisée • 1 orange pelée à vif et coupée en quartiers • 25 g de noix de pécan • 25 g d'olives noires à la grecque • 6 feuilles de basilic • 1 échalote

Pour l'assaisonnement : *5 cl de jus de citron • 1 œuf • 1 cuill. à café de moutarde forte • 8 cl d'huile d'olive • 8 cl d'huile de colza • sel et poivre blanc*

Épluchez la betterave et coupez-la en dés en récupérant le jus qui s'écoule. Mettez-la dans un saladier avec le vinaigre et le jus récupéré.

260

Faites griller le poivron, retirez la peau, le cœur et les graines, puis coupez-le en dés. Conservez une noix de pécan pour le décor et faites griller le reste à sec dans une poêle. Broyez-les au mixeur. Coupez les olives en rondelles et les feuilles de basilic en petites lanières. Hachez finement l'échalote.

Mixez le jus de citron, l'œuf et la moutarde en versant progressivement l'huile d'olive et l'huile de colza jusqu'à obtenir une belle émulsion. Salez et poivrez.

Mélangez la chicorée, la frisée, les quartiers d'orange coupés en morceaux, les noix de pécan, le basilic et l'échalote à la sauce.

Mettez les dés de betterave avec leur jus sur une assiette et posez la salade assaisonnée en dôme au centre. Déposez dessus la noix de pécan entière.

Analyse nutritionnelle par portion

338 calories	*2 g de protéines*
9 g de glucides	*33 g de lipides*
4 g d'acides gras saturés	*120 mg de sodium*
35 mg de cholestérol	*3 g de fibres*

Pizza Portobello

Pour 2 personnes

350 g de mozzarella coupée en lamelles • 2 tomates coupées en tranches, rôties ou grillées • 175 g de têtes de lentins du chêne nettoyées • 10 feuilles de basilic • 1 cuill. à café d'huile d'olive • 1 gousse d'ail écrasée ou hachée • 1 pincée de sel • 1 pincée de poivre • origan (facultatif)

Préchauffez le four à 230 °C (th. 7/8).

Mélangez l'huile d'olive et l'ail dans un bol, puis enduisez les têtes de champignons avec cette préparation. Rangez les champignons en cercle régulier sur une plaque huilée, en les posant sur leur côté bombé. Salez et poivrez.

Disposez les rondelles de tomate sur les champignons, puis répartissez la mozzarella et le basilic dessus. Saupoudrez éventuellement d'un peu d'origan, enfournez et laissez cuire environ 3 minutes. Servez aussitôt.

Analyse nutritionnelle par portion

549 calories	36 g de protéines
14 g de glucides	40 g de lipides
23 g d'acides gras saturés	651 mg de sodium
133 mg de cholestérol	3 g de fibres

Potage à la tomate

Pour 2 personnes

3 tomates pelées • 1 petit oignon haché • 400 g de pois chiches en conserve rincés et égouttés • 50 g de champignons de Paris émincés • 80 g de jambon coupé en dés • 42,5 cl de bouillon de poulet • 1/4 cuill. à café d'huile d'olive • 1 gousse d'ail écrasée ou finement hachée • 1/8 cuill. à café de paprika doux • 1 pincée de piment de la Jamaïque

Dans une grande casserole, faites étuver doucement pendant 1 minute l'oignon, les champignons et le jambon avec l'huile, l'ail, le paprika et la pincée de piment. Ajoutez le bouillon, les pois chiches et les tomates, portez à ébullition, puis baissez le feu, couvrez et laissez mijoter 15 minutes. Mixez afin d'obtenir un potage fluide. Servez chaud.

Analyse nutritionnelle par portion

404 calories	29 g de protéines
58 g de glucides	7 g de lipides
2 g d'acides gras saturés	1 341 mg de sodium
25 mg de cholestérol	12 g de fibres

Dîners

Poêlée de poulet aux légumes

Pour 4 personnes

225 g de blancs de poulet cuit, coupés en fines lamelles, en biseau • 300 g de légumes mélangés (brocolis, haricots verts, poivron rouge et champignons) nettoyés et coupés en petits morceaux • 300 g de jeunes épinards • 3 cuill. à soupe d'huile de colza • 2 cuill. à soupe d'eau • 2 cuill. à soupe de sauce soja

Faites chauffer une grande poêle ou un wok à feu vif. Versez-y la moitié de l'huile en enduisant bien les parois. Quand elle est bien chaude (mais sans fumer), ajoutez les lamelles de poulet et faites-les revenir 2 minutes sans cesser de remuer. Retirez le poulet et réservez-le.

Mettez le reste d'huile à chauffer dans la poêle, ajoutez les légumes et faites-les revenir environ 4 minutes en remuant fréquemment. Remettez le poulet dans la poêle, ajoutez l'eau et la sauce soja et poursuivez la cuisson 2 minutes. Ajoutez les épinards, couvrez et laissez-les cuire à nouveau 4 minutes à feu moyen en les retournant à mi-cuisson.

Servez aussitôt. Vous pouvez servir les ingrédients égouttés avec le jus de cuisson à part.

Analyse nutritionnelle par portion

232 calories	*23 g de protéines*
7 g de glucides	*13 g de lipides*
2 g d'acides gras saturés	*616 mg de sodium*
48 mg de cholestérol	*4 g de fibres*

Poulet sauté au vin blanc

Pour 4 personnes

3 blancs de poulet sans peau, coupés en lanières • 3 tomates moyennes coupées en rondelles • 4 cuill. à soupe d'huile d'olive • 1 gousse d'ail écrasée • 10 cl de vin blanc sec • 1/8 cuill. à café de sel • 1/4 cuill. à café de poivre

Faites chauffer l'huile dans une poêle avec l'ail à feu moyen. Salez et poivrez les blancs de poulet, faites-les revenir 6 à 8 minutes en les remuant fréquemment. Versez le vin blanc et laissez mijoter encore 2 minutes.

Mettez le poulet dans un plat et maintenez-le au chaud dans le four entrouvert. Laissez la poêle sur le feu, ajoutez les rondelles de tomates et faites-les cuire quelques minutes en les retournant une ou deux fois. Disposez-les sur le plat de poulet, nappez avec le jus de cuisson et servez.

Analyse nutritionnelle par portion

190 calories	*6 g de protéines*
5 g de glucides	*15 g de lipides*
2 g d'acides gras saturés	*117 mg de sodium*
12 mg de cholestérol	*1 g de fibres*

Poulet grillé aux herbes

Pour 6 personnes

*3 blancs de poulet sans peau • 10 cl de vin blanc sec •
2 cuill. à soupe d'huile d'olive ou de colza • 1 cuill. à
soupe de vinaigre d'alcool • 2 cuill. à café de basilic
ciselé • 1 cuill. à café d'origan ou d'estragon ciselé •
1 cuill. à café d'oignon finement haché • 2 gousses d'ail
écrasées ou finement hachées*

Mélangez le vin, l'huile, le vinaigre, le basilic, l'origan
ou l'estragon, l'oignon et l'ail dans un plat creux.
Coupez les blancs de poulet en deux dans la longueur,
roulez les morceaux dans le mélange. Couvrez avec un
film alimentaire, laissez mariner au réfrigérateur de 5 à
24 heures en retournant le poulet de temps en temps.

Préchauffez le gril en plaçant la grille à 15 centimètres
de la source de chaleur. Égouttez le poulet en conser-
vant la marinade, posez les morceaux de volaille sur la
grille et faites-les griller environ 10 minutes en les
enduisant régulièrement de marinade et en les retournant à mi-cuisson. Servez aussitôt.

Analyse nutritionnelle par portion

185 calories	26 g de protéines
1 g de glucides	6 g de lipides
1 g d'acides gras saturés	75 mg de sodium
66 mg de cholestérol	0 g de fibres

Poulet aux épices

Pour 4 personnes

450 g de blancs de poulet sans peau coupés en lanières • 8 poignées de laitue iceberg ciselée • 2 gros blancs d'œufs • 200 g de purée de tomates • 3 cuill. à soupe de piment en poudre • 1 cuill. à café de cumin en poudre • 10 cl de yaourt à 0 % mg • quelques brins de coriandre (facultatif)

Disposez la salade ciselée dans les assiettes.

Mélangez le piment et le cumin dans un plat creux. Roulez-y les morceaux de poulet. Trempez-les ensuite dans les blancs d'œufs et passez-les à nouveau dans les épices.

Faites chauffer l'huile à feu moyen dans une grande poêle ou un wok. Faites-y revenir les morceaux de poulet 5 à 7 minutes en les retournant plusieurs fois. Répartissez-les sur la salade.

Versez la purée de tomates dans la poêle, portez-la à ébullition et laissez cuire quelques instants pour qu'elle épaississe légèrement. Nappez-en le poulet. Versez un peu de yaourt sur chaque assiette et décorez avec de la coriandre.

Analyse nutritionnelle par portion

185 calories	*26 g de protéines*
1 g de glucides	*6 g de lipides*
1 g d'acides gras saturés	*75 mg de sodium*
66 mg de cholestérol	*0 g de fibres*

Papillotes de poulet
et de légumes à l'asiatique

Pour 4 personnes

2 blancs de poulet sans peau coupés en lanières • 1 poivron rouge émincé • 300 g de pois gourmands • 300 g de bouquets de brocolis • 150 g de châtaignes d'eau • 60 g d'oignon nouveau émincé • 7,5 cl de xérès ou de vermouth • 3 cuill. à soupe de sauce soja • 2 cuill. à café d'huile de sésame • 1 cuill. à café de gingembre râpé • 1 cuill. à café d'ail écrasé ou finement haché

Préchauffez le four à 230 °C (th. 7/8).

Mélangez le xérès ou le vermouth, la sauce soja, l'huile, les oignons, le gingembre et l'ail dans un saladier. Ajoutez le poulet et les légumes, puis mélangez bien l'ensemble.

Découpez quatre feuilles de papier sulfurisé de 30 x 45 centimètres. Répartissez la préparation au centre de chacune. Fermez hermétiquement les papillotes.

Posez-les dans un plat ou sur la lèchefrite, enfournez et faites cuire 15 à 18 minutes. Servez très chaud en laissant chacun ouvrir sa papillote.

Analyse nutritionnelle par portion

244 calories	*32 g de protéines*
16 g de glucides	*4 g de lipides*
1 g d'acides gras saturés	*855 mg de sodium*
66 mg de cholestérol	*7 g de fibres*

Rumsteck poêlé aux oignons

Pour 4 personnes

450 g de rumsteck • 1 oignon moyen coupé en fines rondelles • 1 cuill. à soupe d'huile d'olive • 2 cuill. à soupe de vinaigre balsamique • 1 cuill. à soupe de Worcestershire sauce • 1 cuill. à soupe de moutarde forte • 2 gousses d'ail écrasées ou finement hachées • 1 cuill. à soupe de poivre mignonnette • 1/2 cuill. à café de sel • 22,5 cl de bouillon de poulet dégraissé

Mélangez l'huile, le vinaigre, la Worcestershire sauce, la moutarde et l'ail dans un plat creux. Roulez-y le rumsteck, puis couvrez avec un film alimentaire. Laissez mariner au réfrigérateur au moins 30 minutes et mieux jusqu'au lendemain, en retournant la viande de temps en temps.

Enduisez une poêle d'huile et mettez-la à chauffer à feu moyen. Salez et poivrez le rumsteck, faites-le dorer 2 minutes de chaque côté. Versez le bouillon et poursuivez la cuisson 4 à 6 minutes selon l'épaisseur du morceau de viande, en le retournant une fois.

Mettez le rumsteck dans un plat, couvrez-le d'un papier d'aluminium et maintenez-le au chaud dans le four entrouvert.

Baissez le feu sous la poêle, ajoutez les rondelles d'oignon et faites-les cuire 8 à 10 minutes en ajoutant un peu de bouillon de temps en temps.

Coupez le rumsteck en tranches fines et disposez les oignons tout autour.

Analyse nutritionnelle par portion

239 calories	*24 g de protéines*
7 g de glucides	*12 g de lipides*

4 g d'acides gras saturés   580 mg de sodium
55 mg de cholestérol   1 g de fibres

Pain de viande

Pour 8 personnes

450 g de blancs de dinde hachés • 110 g de flocons d'avoine • 1 œuf • 50 g de courgette râpée • 150 g de purée de tomates sans sel • 11 cl de vin rouge sec • 11 cl d'eau • 1 gousse d'ail écrasée ou finement hachée • 1/2 cuill. à café de basilic ciselé • 1/4 cuill. à café d'origan ciselé • 1/4 cuill. à café de sel

Préchauffez le four à 180 °C (th. 6).

Mélangez la purée de tomates, le vin, l'eau, l'ail, le basilic, l'origan et le sel dans une petite casserole. Portez à ébullition, puis baissez le feu et laissez mijoter à découvert environ 15 minutes.

Mettez la viande hachée, les flocons d'avoine, l'œuf, la courgette et le tiers de la sauce tomate obtenue dans un saladier, puis remuez jusqu'à obtenir un mélange très homogène. Humidifiez vos mains et façonnez cette préparation en lui donnant la forme d'un pain. Posez-le sur une plaque, enfournez et faites cuire 45 minutes.

Retirez tout le jus écoulé du pain de viande, versez la moitié du reste de sauce tomate dessus et remettez à cuire 15 minutes.

Posez le pain de viande sur un plat chaud, entourez-le du reste de sauce et laissez-le reposer 15 minutes avant de le couper en tranches.

Analyse nutritionnelle par portion

188 calories   12 g de protéines
12 g de glucides   410 g de lipides
3 g d'acides gras saturés   244 mg de sodium
39 mg de cholestérol   2 g de fibres

Veau à la moutarde

Pour 4 personnes

4 côtes de veau bien dégraissées • 4 petites tomates grappes pelées, épépinées et coupées en dés • 4 échalotes moyennes finement hachées • 2 gousses d'ail écrasées ou finement hachées • 3 cuill. à café de beurre • 2 cuill. à café de moutarde forte • 2 cuill. à café de vinaigre balsamique • 1 l de bouillon de veau ou de bœuf dégraissé • 25 g de graines de moutarde • 4 brins de romarin frits quelques secondes • 5 cl d'huile d'olive • sel et poivre

Faites revenir doucement la moitié des échalotes dans une casserole avec 1 cuillerée à café de beurre jusqu'à ce qu'elles soient transparentes. Ajoutez la moutarde et le vinaigre, laissez cuire environ 1 minute pour qu'il ne reste plus de liquide, puis versez le bouillon. Portez à ébullition et faites réduire presque de moitié : il doit rester environ 60 centilitres de bouillon. Filtrez-le.

Faites revenir les tomates avec le reste de beurre et d'échalotes 1 à 2 minutes, ajoutez les graines de moutarde, versez le bouillon, puis salez et poivrez. Laissez mijoter encore 2 ou 3 minutes et réservez au chaud.

Préchauffez le four à 180 °C (th. 6).

Salez et poivrez les côtes de veau. Faites-les dorer à la poêle avec l'huile d'olive, 1 min 30 de chaque côté. Terminez la cuisson au four 8 à 10 minutes. Entrouvrez le four et laissez reposer 3 à 4 minutes.

Servez la viande avec la sauce autour. Décorez avec le romarin.

Analyse nutritionnelle par portion

340 calories	19 g de protéines
13 g de glucides	24 g de lipides
5 g d'acides gras saturés	958 mg de sodium
56 mg de cholestérol	2 g de fibres

Thon mi-cuit, salade de haricots à l'origan

Pour 4 personnes

1 steak de thon épais (environ 175 g) • 350 g de haricots beurre cuits • 1/4 cuill. à café d'ail écrasé • le jus de 1/2 citron • 5 cl d'huile d'olive • 5 cl d'eau • 1 cuill. à café de basilic ciselé • 1/2 cuill. à soupe d'origan ciselé • 1 cuill. à café de persil plat ciselé • sel et poivre

Salez et poivrez le thon des deux côtés. Faites-le cuire dans une poêle à feu moyen, 30 à 45 secondes de chaque côté selon l'épaisseur du morceau. Laissez refroidir.

Fouettez ensemble l'ail, le jus de citron, l'huile d'olive, l'eau, le basilic et l'origan. Laissez mariner au réfrigérateur pendant 3 heures.

Dans un saladier, versez la vinaigrette sur les haricots et mélangez bien. Répartissez la salade de haricots en dôme dans les assiettes. Coupez le thon en fines tranches et disposez celles-ci autour. Parsemez de persil ciselé et servez à température ambiante.

Analyse nutritionnelle par portion
299 calories	*18 g de protéines*
23 g de glucides	*15 g de lipides*
2 g d'acides gras saturés	*19 mg de sodium*
19 mg de cholestérol	*10 g de fibres*

Salade de crevettes en sauce pimentée

Déjeuner ou dîner en phase 2.
En phase 1, supprimez les pois chiches.

Pour 2 personnes

350 g de crevettes roses moyennes • 100 g de pois chiches en conserve, rincés et égouttés • 1 tomate, épépinée et coupée en rondelles • 2 œufs durs, écalés et coupés en quartiers • le jus de 1 petit citron vert • feuilles de laitue • 1 citron coupé en rondelles • 4 olives noires • 4 fines rondelles de poivron vert • sel

Pour l'assaisonnement : *100 g de mayonnaise • 1 cuill. à café de purée de piment • 1 cuill. à soupe d'oignon finement haché • 1 cuill. à soupe de persil plat ciselé • 1 cuill. à soupe de crème liquide allégée • 1/4 cuill. à café de Worcestershire sauce • Tabasco • sel et poivre*

Faites cuire les crevettes à l'eau bouillante salée avec le jus de citron vert 1 à 2 minutes. Égouttez-les, laissez-les tiédir, puis décortiquez-les. Placez-les dans un bol, couvrez et placez au réfrigérateur.

Fouettez la mayonnaise, la purée de piment, l'oignon, le persil ciselé, du sel et du poivre, la Worcestershire

sauce et le Tabasco jusqu'à obtenir une sauce onctueuse. Couvrez avec un film alimentaire et placez au
réfrigérateur.

Disposez les feuilles de laitue dans les assiettes. Faites
un petit dôme de pois chiches, un autre de crevettes,
puis répartissez les rondelles de tomate et les quartiers
d'œuf dur autour. Décorez avec le citron, les olives
et le poivron et servez la sauce dans une coupelle à
part.

Servez la sauce séparément.

Analyse nutritionnelle par portion
867 calories   *46 g de protéines*
40 g de glucides   *58 g de lipides*
10 g d'acides gras saturés 1 493 mg de sodium
501 mg de cholestérol   *7 g de fibres*

Pavés de saumon aux épinards

Pour 4 personnes

*4 pavés de saumon (environ 150 g chacun) • 300 g de
jeunes épinards hachés grossièrement • 2 cuill. à soupe
de pesto (tout prêt) • 1 cuill. à soupe de tomates séchées,
hachées • 1 cuill. à soupe de pignons • sel et poivre*

Préchauffez le four à 200 °C (th. 6/7).

Avec un couteau bien aiguisé, incisez chaque pavé de
saumon dans l'épaisseur sans le couper complètement
pour faire une poche. Salez et poivrez.

Dans un bol, mélangez les épinards avec le pesto, les
tomates et les pignons. Répartissez cette préparation
dans chaque pavé de saumon.

Posez les pavés sur une plaque enduite d'huile. Enfournez et faites cuire environ 10 minutes.

Analyse nutritionnelle par portion
329 calories   *32 g de protéines*
4 g de glucides   *20 g de lipides*
4 g d'acides gras saturés   *213 mg de sodium*
86 mg de cholestérol   *3 g de fibres*

Filets de sole grillés, sauce légère à la crème

Pour 4 personnes

4 filets de sole • 15 cl de crème liquide à 7% mg • 3 cuill. à soupe de margarine au tournesol allégée • 10 cl de Worcestershire sauce

Préchauffez le gril en plaçant la grille à environ 15 centimètres de la source de chaleur.

Faites fondre la margarine dans une casserole. Ajoutez la Worcestershire sauce en fouettant pour bien la mélanger, portez à petite ébullition et faites réduire légèrement. Versez la crème, mélangez et gardez au chaud.

Quand la résistance du four est bien rouge, posez les filets de sole sur la grille et faites-les cuire 2 à 6 minutes selon leur épaisseur. Glissez-les sur un plat de service bien chaud, nappez-les de sauce et servez aussitôt.

Analyse nutritionnelle par portion
262 calories   *27 g de protéines*
12 g de glucides   *11 g de lipides*
3 g d'acides gras saturés   *860 mg de sodium*
76 mg de cholestérol   *0 g de fibres*

Cabillaud en papillote

Pour 2 personnes

2 pavés de cabillaud épais (environ 300 g chacun) • 100 g de champignons de Paris émincés • 1/2 petite courgette en julienne • 1/2 petit poivron rouge en julienne • 1/2 petit oignon émincé • 2 cuill. à soupe de jus de citron • 2 cuill. à soupe de margarine au tournesol allégée • 1/4 cuill. à café d'estragon ciselé • poivre

Découpez deux carrés de papier sulfurisé d'environ 30 centimètres de côté. Posez un pavé de cabillaud au centre de chacun, arrosez-les de la moitié du jus de citron, puis répartissez les courgettes, le poivron et l'oignon dessus. Formez des papillotes.

Faites cuire au four à micro-ondes à puissance maximale pendant 6 minutes.

Servez les papillotes entrouvertes. Poivrez et ajoutez l'estragon.

Analyse nutritionnelle par portion

370 calories	*56 g de protéines*
7 g de glucides	*12 g de lipides*
2 g d'acides gras saturés	*260 mg de sodium*
130 mg de cholestérol	*2 g de fibres*

Tagliatelles de potiron à l'italienne

Pour 4 personnes

1 kg de potiron • 1 oignon moyen émincé • 1 courgette coupée en dés • 4 tomates moyennes coupées en dés • 1 petit citron coupé en rondelles • 2 cuill. à soupe d'huile d'olive • 1/4 cuill. à café de sel • 1/4 cuill. à café de poivre • 75 g de parmesan râpé (facultatif)

Pelez et égrenez le potiron, puis coupez-le en bandes fines à l'aide d'un économe ou d'une mandoline. Faites-le cuire 2 à 4 minutes dans la partie supérieure d'un cuit-vapeur. Laissez tiédir.

Faites fondre l'oignon dans une grande poêle avec 1 cuillerée à soupe d'huile d'olive. Ajoutez la courgette et poursuivez la cuisson à feu doux en remuant fréquemment jusqu'à ce qu'elle dore. Ajoutez les tomates, salez et poivrez et laissez mijoter environ 10 minutes.

Servez les tagliatelles de potiron dans des coupelles ou des assiettes creuses et entourez-les de sauce. Arrosez-les avec le reste d'huile d'olive et saupoudrez-les de parmesan.

Analyse nutritionnelle par portion
190 calories   *5 g de protéines*
28 g de glucides   *9 g de lipides*
1 g d'acides gras saturés   *199 mg de sodium*
0 mg de cholestérol   *6 g de fibres*

Tomates rôties au basilic et au parmesan

Pour 6 personnes

6 tomates « cœur de bœuf » coupées en deux • 3 cuill. à soupe d'herbes fraîches ciselées (basilic, persil, marjolaine) • 50 g de chapelure • 75 g de parmesan râpé • 2 gousses d'ail écrasées ou finement hachées • 3 cuill. à soupe d'huile d'olive • sel et poivre

Préchauffez le four à 180 °C (th. 6).

Mélangez les herbes, la chapelure, le parmesan, le sel, le poivre et l'huile d'olive dans un bol.

Posez les tomates sur une plaque sur leur partie bombée. Enduisez-les du mélange aux herbes, puis enfournez et faites cuire environ 30 minutes.

Analyse nutritionnelle par portion

132 calories	*4 g de protéines*
9 g de glucides	*9 g de lipides*
2 g d'acides gras saturés	*161 mg de sodium*
5 mg de cholestérol	*1 g de fibres*

Salade Miami

Pour 6 personnes

400 g de cœurs de palmier en conserve, rincés et égouttés • 400 g de cœurs d'artichaut en conserve, rincés et égouttés • 50 g de poivron rouge en julienne • 50 g de poivron vert en julienne • 1 cœur de laitue • 2 œufs durs coupés en quartiers • 12 tomates cerises coupées en deux • 10 olives farcies au poivron, coupées en deux

Pour la vinaigrette : *3 cuill. à soupe d'huile d'olive • 3 cuill. à soupe d'huile de colza • 3 cuill. à soupe de vinaigre • 1/2 cuill. à café de moutarde forte • 1/2 cuill. à café de sel • 1/2 cuill. à café de poivre*

Préparez la vinaigrette. Fouettez ensemble l'huile d'olive et l'huile de colza, le vinaigre, la moutarde, le sel et le poivre.

Mettez les cœurs de palmier et d'artichaut, les poivrons et les olives dans un saladier, versez la vinaigrette et mélangez délicatement. Couvrez avec un film alimentaire et placez au réfrigérateur pendant au moins 1 heure.

Tapissez les assiettes de feuilles de laitue et répartissez-y la salade. Décorez avec les œufs durs et les tomates cerises.

Analyse nutritionnelle par portion
226 calories   *7 g de protéines*
15 g de glucides   *17 g de lipides*
2 g d'acides gras saturés *710 mg de sodium*
71 mg de cholestérol *6 g de fibres*

Poulet grillé, sauce tatziki

Pour 4 personnes

2 blancs de poulet sans peau • 4 poignées de laitue iceberg ciselée • 1 grosse tomate (environ 150 g) coupée en dés • 3 cl d'huile d'olive • 2 cuill. à café de jus de citron • 1 cuill. à café d'origan • 1/4 cuill. à café de sel • 1 cuill. à café de poivre

Pour la sauce tatziki : *225 g de yaourt à 0 % mg • 75 g de concombre pelé, épépiné et coupé en julienne • 3/4 cuill. à café d'ail écrasé ou finement haché • 1 cuill. à soupe d'huile d'olive • 1 cuill. à soupe de vinaigre d'alcool • 2 cuill. à soupe d'aneth ciselé • 2 cuill. à soupe de menthe ciselée • 1/4 cuill. à café de sel*

Mélangez l'huile d'olive, le jus de citron, l'origan, le sel et le poivre dans un plat creux. Coupez chaque blanc de poulet en deux dans la longueur et roulez les morceaux dans cette préparation. Couvrez avec un film alimentaire et laissez mariner au réfrigérateur 2 à 3 heures.

Préparez la sauce. Mélangez le yaourt, le concombre, l'ail, l'huile, le vinaigre, l'aneth, la menthe et le sel en fouettant pour que l'ensemble soit onctueux. Couvrez et placez au réfrigérateur jusqu'au moment de servir.

Allumez le gril (ou préparez le barbecue) en plaçant la grille à environ 20 centimètres de la source de chaleur. Sortez les morceaux de poulet de la marinade et faites-les griller 6 à 8 minutes selon leur épaisseur en les retournant une ou deux fois.

Servez avec la sauce.

Analyse nutritionnelle par portion
281 calories   *30 g de protéines*
10 g de glucides   *14 g de lipides*
2 g d'acides gras saturés   *355 mg de sodium*
67 mg de cholestérol   *1 g de fibres*

Terrine de chou en gelée

Pour 6 personnes

50 g de chou vert ou de chou chinois émincé • 75 g de céleri émincé • 4 feuilles de gélatine • 40 cl d'eau • 50 g d'aspartam en poudre • 5 cl de vinaigre de riz • 1 piment émincé • 1/2 cuill. à café de sel

Mettez les feuilles de gélatine à tremper dans un bol d'eau froide pour les faire ramollir, puis égouttez-les.

Versez 30 centilitres d'eau dans un saladier et le reste dans une petite casserole. Faites tiédir celle-ci à feu doux, ajoutez les feuilles de gélatine et continuez à faire chauffer doucement en remuant jusqu'à ce qu'elles aient fondu. Retirez du feu, versez le contenu de la casserole dans le saladier, puis ajoutez l'aspartam, le vinaigre et le sel. Mélangez bien.

Recouvrez le fond d'un moule (ou de moules individuels) d'une fine couche de cette gelée encore tiède et placez au réfrigérateur pour qu'elle prenne.

Laissez tiédir le reste de gelée dans le saladier, puis ajoutez-y le chou, le céleri et le piment. Mélangez bien. Versez l'ensemble dans le(s) moule(s) avant que la gelée ne prenne, puis replacez au réfrigérateur.

Pour démouler, retournez le moule sur un plat après l'avoir trempé quelques instants dans de l'eau très chaude.

Analyse nutritionnelle par portion

44 calories	*2 g de protéines*
9 g de glucides	*0 g de lipides*
0 g d'acides gras saturés	*219 mg de sodium*
0 mg de cholestérol	*1 g de fibres*

Salade mixte au pécorino

Déjeuner en phase 2.

Pour 2 personnes

2 ou 3 cœurs de laitue coupés en petits morceaux • 1 poivron rouge coupé en dés • 1 concombre pelé et coupé en fines rondelles • 1 tomate moyenne coupée en quartiers • 50 g de pois chiches en conserve, rincés et égouttés • 30 g d'oignon rouge haché • 5 cl d'huile d'olive • 5 cl de bon vinaigre de vin • 3 cuill. à café de pécorino râpé (ou de parmesan) • sel et poivre

Disposez les cœurs de laitue, le poivron, le concombre, la tomate et l'oignon dans un saladier.

Fouettez ensemble l'huile d'olive, le vinaigre, le fromage, un peu de sel et du poivre dans un bol.

Au moment de servir, versez la vinaigrette sur la salade, répartissez les pois chiches en surface et mélangez bien.

Analyse nutritionnelle par portion

389 calories	9 g de protéines
25 g de glucides	30 g de lipides
5 g d'acides gras saturés	153 mg de sodium
3 mg de cholestérol	9 g de fibres

Asperges en salade

Pour 4 personnes

500 g d'asperges (ou 350 g en conserve, égouttées) • 1 tomate moyenne épépinée et coupée en dés • 1 cuill. à café d'estragon ciselé • 7,5 cl d'huile d'olive • 1 gousse d'ail écrasée ou finement hachée • 2 cuill. à soupe de vinaigre de vin blanc • quelques feuilles de laitue

Si vous utilisez des asperges fraîches, pelez-les en coupant légèrement la base et faites-les cuire 10 à 12 minutes à l'eau bouillante salée. Égouttez-les et laissez-les refroidir.

Fouettez l'estragon, les tomates, l'huile, l'ail et le vinaigre dans un bol.

Étalez les feuilles de laitue dans les assiettes et disposez les asperges dessus. Nappez-les de sauce et servez.

Analyse nutritionnelle par portion

193 calories   *2 g de protéines*
5 g de glucides   *19 g de lipides*
3 g d'acides gras saturés   *247 mg de sodium*
0 mg de cholestérol   *2 g de fibres*

Rubans de courgette à l'aneth

Pour 4 personnes

700 g de petites courgettes • 1 cuill. à soupe d'huile d'olive • 2 cuill. à soupe de parmesan râpé • 2 cuill. à soupe d'aneth ciselé • 1 cuill. à café de paprika en flocons

Rincez les courgettes et coupez-en les extrémités. Coupez-les en bandes fines avec un économe. Plongez-les 30 à 60 secondes dans une casserole d'eau bouillante légèrement salée. Égouttez-les.

Disposez les rubans de courgette sur un plat ou dans des coupelles, arrosez-les d'huile d'olive, puis saupoudrez de parmesan et d'aneth. Remuez délicatement juste avant de servir.

Analyse nutritionnelle par portion

68 calories   *3 g de protéines*
5 g de glucides   *5 g de lipides*
1 g d'acides gras saturés   *52 mg de sodium*
2 mg de cholestérol   *2 g de fibres*

Disposez les cœurs de laitue, le poivron, le concombre, la tomate et l'oignon dans un saladier.

Fouettez ensemble l'huile d'olive, le vinaigre, le fromage, un peu de sel et du poivre dans un bol.

Au moment de servir, versez la vinaigrette sur la salade, répartissez les pois chiches en surface et mélangez bien.

Analyse nutritionnelle par portion

389 calories	9 g de protéines
25 g de glucides	30 g de lipides
5 g d'acides gras saturés	153 mg de sodium
3 mg de cholestérol	9 g de fibres

Asperges en salade

Pour 4 personnes

500 g d'asperges (ou 350 g en conserve, égouttées) • 1 tomate moyenne épépinée et coupée en dés • 1 cuill. à café d'estragon ciselé • 7,5 cl d'huile d'olive • 1 gousse d'ail écrasée ou finement hachée • 2 cuill. à soupe de vinaigre de vin blanc • quelques feuilles de laitue

Si vous utilisez des asperges fraîches, pelez-les en coupant légèrement la base et faites-les cuire 10 à 12 minutes à l'eau bouillante salée. Égouttez-les et laissez-les refroidir.

Fouettez l'estragon, les tomates, l'huile, l'ail et le vinaigre dans un bol.

Étalez les feuilles de laitue dans les assiettes et disposez les asperges dessus. Nappez-les de sauce et servez.

Rubans de courgette à l'aneth

Pour 4 personnes

700 g de petites courgettes • 1 cuill. à soupe d'huile d'olive • 2 cuill. à soupe de parmesan râpé • 2 cuill. à soupe d'aneth ciselé • 1 cuill. à café de paprika en flocons

Rincez les courgettes et coupez-en les extrémités. Coupez-les en bandes fines avec un économe. Plongez-les 30 à 60 secondes dans une casserole d'eau bouillante légèrement salée. Égouttez-les.

Disposez les rubans de courgette sur un plat ou dans des coupelles, arrosez-les d'huile d'olive, puis saupoudrez de parmesan et d'aneth. Remuez délicatement juste avant de servir.

Mélange de légumes rôtis

Pour 4 personnes

1 courgette moyenne coupée en cubes • 1 quartier de potiron pelé, épépiné et coupé en cubes • 1 poivron rouge moyen épépiné et coupé en morceaux • 1 poivron jaune moyen épépiné et coupé en morceaux • 450 g d'asperges vertes coupées en tronçons • 4 cuill. à soupe d'huile d'olive • 1 cuill. à café de sel • 1/2 cuill. à café de poivre

Préchauffez le four à 230 °C (th. 7/8).

Étalez les légumes sur une plaque. Arrosez-les avec l'huile d'olive et retournez plusieurs fois les morceaux pour bien les enrober. Salez, poivrez, puis glissez la plaque dans le four et faites cuire environ 30 minutes en remuant de temps en temps.

Analyse nutritionnelle par portion

169 calories	*5 g de protéines*
15 g de glucides	*11 g de lipides*
2 g d'acides gras saturés	*590 mg de sodium*
0 mg de cholestérol	*5 g de fibres*

En-cas

Caviar d'aubergine

Pour 1 personne

1 aubergine moyenne pelée • 1 gousse d'ail écrasée ou finement hachée • 1 cuill. à soupe de tahin (pâte de sésame) • 1/8 cuill. à café de cumin moulu

Préchauffez le gril en plaçant la grille à environ 10 centimètres de la source de chaleur.

Coupez l'aubergine en biais en tranches de 1 centimètre d'épaisseur. Étalez celles-ci sur la grille et faites-les cuire jusqu'à ce qu'elles brunissent et que des gouttelettes apparaissent en surface. Laissez refroidir et retirez la peau.

Mixez la pulpe d'aubergine, l'ail, le tahin et le cumin jusqu'à obtenir une purée épaisse. Servez frais avec des bâtonnets de légumes crus.

Analyse nutritionnelle par portion
213 calories   *8 g de protéines*
32 g de glucides   *9 g de lipides*
1 g d'acides gras saturés   *20 mg de sodium*
0 mg de cholestérol   *12 g de fibres*

Desserts

Fraises déguisées au chocolat

Pour 2 personnes

8 fraises avec leur queue • 50g de chocolat noir (plus de 75% de cacao) coupé en petits morceaux • 1/2 cuill. à soupe de crème liquide • 1 goutte d'extrait d'amande

Faites fondre doucement le chocolat avec la crème, dans une petite casserole placée au bain-marie, en remuant jusqu'à obtenir une crème lisse. Ajoutez l'extrait d'amande et laissez tiédir.

Essuyez les fraises. Trempez-les l'une après l'autre dans le chocolat en les tenant par la queue. Rangez-les sur une plaque recouverte de papier siliconé et placez-les au réfrigérateur environ 15 minutes.

Analyse nutritionnelle par portion

175 calories	*3g de protéines*
24g de glucides	*9g de lipides*
6g d'acides gras saturés	*1mg de sodium*
5mg de cholestérol	*4g de fibres*

Coupe de fraises au yaourt

Pour 1 personne

110 g de fraises émincées • 110 g de yaourt à 0 % mg

Versez le yaourt dans une coupelle à dessert et disposez les lamelles de fraises dessus. Servez aussitôt.

Analyse nutritionnelle par portion

85 calories	*4 g de protéines*
16 g de glucides	*0 g de lipides*
0 g d'acides gras saturés	*66 mg de sodium*
3 mg de cholestérol	*2 g de fibres*

Mendiants aux pistaches

Pour environ 18 pièces (450 g)

300 g de chocolat noir (plus de 75 % de cacao) coupé en petits morceaux • 150 g de pistaches décortiquées et pelées

Grillez légèrement les pistaches à sec dans une poêle à feu modéré. Laissez-les refroidir.

Faites fondre doucement le chocolat dans une petite casserole placée au bain-marie, en remuant avec une cuillère en bois jusqu'à obtenir une crème lisse. Ajoutez les pistaches et mélangez.

Étalez la préparation sur une plaque recouverte de papier siliconé et laissez refroidir. Placez au réfrigérateur 1 heure et coupez en morceaux.

Analyse nutritionnelle par portion

150 calories	*3 g de protéines*
16 g de glucides	*10 g de lipides*

4 g d'acides gras saturés   0 mg de sodium
0 mg de cholestérol   2 g de fibres

Coupes au chocolat

Pour 8 personnes

450 g de chocolat à pâtisser • 40 cl de crème liquide à 15 % mg • 1 cuill. à soupe de margarine au tournesol allégée • cacao en poudre

Versez la crème dans un saladier et placez-la une dizaine de minutes au congélateur. Fouettez-la ensuite en chantilly.

Faites fondre doucement le chocolat avec la margarine dans une petite casserole placée au bain-marie, en remuant de temps en temps avec une cuillère en bois jusqu'à obtenir une crème lisse.

Placez huit caissettes à pâtisserie en papier dans un moule à muffins. Avec une cuillère à café, faites couler le chocolat liquide le long des parois des caissettes afin d'obtenir huit petits moules creux en chocolat. Placez-les 30 minutes au réfrigérateur.

Ôtez les caissettes. Remplissez les coupelles en chocolat de crème fouettée et saupoudrez de cacao.

Analyse nutritionnelle par portion
99 calories   2 g de protéines
17 g de glucides   3 g de lipides
1 g d'acides gras saturés 206 mg de sodium
5 mg de cholestérol   0 g de fibres

17

Menus quotidiens en phase 3

Vous avez atteint votre poids idéal. En suivant scrupuleusement les deux premières phases du régime, vos indices de cholestérol et de triglycérides sont parfaits.

La phase 3 doit vous apprendre à maintenir ces résultats en maîtrisant votre alimentation. Il s'agit moins d'un régime que d'une hygiène de vie qui doit devenir une seconde nature.

Vous savez maintenant comment fonctionne le régime, comment il agit sur votre métabolisme, ce qui est bon et ce qui est mauvais pour vous. Tant que vous ne reprenez pas de poids, inutile de vous priver. La vie est faite de tentations et vous aurez inévitablement des envies.

Laissez-vous faire et apprenez à adapter le régime à votre cas. Si vous reprenez quelques kilos, revenez simplement une ou deux semaines en phase 1 pour retrouver votre poids de forme.

La phase 3 doit être votre quotidien. Elle est d'autant plus agréable à suivre si vous savez vous faire plaisir quand l'envie vous en prend…

Jour 1

Petit déjeuner

– 1/2 pamplemousse
– 2 petits flans aux légumes (page 184)
– 60 g de porridge avec 20 cl de lait écrémé, saupou-
  dré de cannelle et d'une cuillerée à soupe de noix
  hachées
– Café décaféiné ou thé déthéiné avec du lait écrémé
  et de l'aspartam

Déjeuner

– Petits rouleaux au bœuf (page 314)
– 1 pomme

Dîner

– Poulet grillé à la marocaine (page 315)
– Asperges à la vapeur
– Salade méditerranéenne (page 330)
– Graine de couscous
– Huile d'olive et vinaigre pour l'assaisonnement

Dessert ou soirée

– Coupe de fraises au yaourt (page 290)

Jour 2

Petit déjeuner

- 1 orange (en salade)
- 1 œuf
- 2 tranches de bacon maigre
- 1 tranche de pain complet
- Café décaféiné ou thé déthéiné avec du lait écrémé et de l'aspartam

Déjeuner

- Salade de légumes au thon (page 189)
- Entremets à l'amande (page 230)

Dîner

- Poêlée de poulet aux légumes (page 265)
- Salade de chou à l'huile de sésame

Dessert ou soirée

- Crème au citron (page 227)

Jour 3

Petit déjeuner

- 1/2 pamplemousse
- Omelette légère (1 œuf entier +1 blanc)
- 1 tranche de pain multicéréales
- Café décaféiné ou thé déthéiné avec du lait écrémé et de l'aspartam

Déjeuner

- 1 tranche de pain de seigle + 1 tranche de jambon + quelques lamelles de gruyère
- 1 pomme

Dîner

- 1 steak grillé
- Épinards à la crème (page 326)
- Purée surprise Miami (page 216)
- Salade tomate-mozzarella (page 327)

Dessert ou soirée

- Bouchée aux abricots (page 338)

Jour 4

Petit déjeuner

- 1/2 pamplemousse
- 60 g de porridge avec 20 cl de lait écrémé, saupoudré de cannelle et d'une cuillerée à soupe de noix hachées
- 1 œuf poché ou à la coque
- 1 tranche de pain multicéréales
- Café décaféiné ou thé déthéiné avec du lait écrémé et de l'aspartam

Déjeuner

- Tomates froides farcies de poulet en salade
- 1 quartier de melon
- 1 yaourt à 0 % mg

Dîner

- Flétan à la provençale (page 322)
- Haricots beurre à la vapeur
- Riz pilaf
- Salade mélangée (salade verte, concombre, poivron vert, tomates cerises)
- Huile d'olive et vinaigre pour l'assaisonnement

Dessert ou soirée

- Poires au chocolat (page 337)

Jour 5

Petit déjeuner

- 1/2 pamplemousse
- Omelette aux poivrons (page 183)
- 1 petite tranche de pain complet
- Café décaféiné ou thé déthéiné avec du lait écrémé et de l'aspartam

Déjeuner

- Salade grecque (page 187)
- 1 yaourt aux fruits à 0 % mg

Dîner

- Brochettes de bœuf aux poivrons et aux champignons (page 321)
- Riz brun
- Salade de tomate et d'avocat
- Huile et vinaigre pour l'assaisonnement

Dessert ou soirée

- Crème à l'amande (page 228)

Jour 6

Petit déjeuner

– 1 coupelle de fruits rouges au choix
– Tartine surprise (page 310)
– Café décaféiné ou thé déthéiné avec du lait écrémé
  et de l'aspartam

Déjeuner

– Salade mélangée au poulet
– Huile d'olive et vinaigre pour l'assaisonnement

Dîner

– Riz sauvage aux crevettes (page 324)
– Roquette en salade
– 2 cuill. à soupe de vinaigrette balsamique (page 196)

Dessert ou soirée

– Fondue au chocolat noir avec des fraises

Jour 7

Petit déjeuner

- 1 orange (en salade)
- Frittata à la tomate et au basilic (page 309)
- 1 tranche de pain multicéréales
- 1 cuill. à soupe de marmelade ou de compote allégée
- Café décaféiné ou thé déthéiné avec du lait écrémé et de l'aspartam

Déjeuner

- Salade de thon au concombre et au poivron, vinaigrette à l'aneth (page 313)
- Entremets à l'amande (page 230)

Dîner

- Coquelets à l'abricot (page 319)
- Graine de couscous
- Laitue en salade
- Huile d'olive et vinaigre balsamique pour l'assaisonnement

Dessert ou soirée

- Génoise glacée au chocolat (page 336)

Jour 8

Petit déjeuner

– 15 cl de cocktail de jus de légumes
– 1 œuf
– 2 tranches de bacon maigre
– 1 petite tranche de pain complet
– 1 cuill. à café de marmelade ou de compote allégée
– Café décaféiné ou thé déthéiné avec du lait écrémé
  et de l'aspartam

Déjeuner

– Salade au poulet grillé
– 2 cuill. à soupe de vinaigrette balsamique pour l'assaisonnement (page 196)

Dîner

– Rumsteck grillé au romarin (page 320)
– Haricots verts à la vapeur
– Tomates rôties au basilic et au parmesan (page 278)
– Salade de roquette et de cresson (page 327)
– 2 cuill. à soupe de vinaigrette balsamique (page 196)

Dessert ou soirée

– Coupes au chocolat (page 291) garnies de fraises
  ou de framboises

Jour 9

Petit déjeuner

– 1 orange (en salade)
– 2 petits flans aux légumes (page 184)
– 1 tranche de pain multicéréales
– Café décaféiné ou thé déthéiné avec du lait écrémé
  et de l'aspartam

Déjeuner

– Couscous en salade, sauce épicée au yaourt
  (page 312)
– 1 brugnon

Dîner

– Papillote d'empereur au citron (page 323)
– Rubans de courgette à l'aneth (page 284)
– Tomates en rondelles
– Melon en salade

Dessert ou soirée
– Fraises au vinaigre balsamique (page 333)

Jour 10

Petit déjeuner

– 1/2 pamplemousse
– Petite crêpe aux épices (page 253)
– Café décaféiné ou thé déthéiné avec du lait écrémé
  et de l'aspartam

Déjeuner

– Tartine au bœuf (1 tranche de pain complet + 75 g
  de rosbif + laitue et tomate + oignon et moutarde)
– 1 petite granny smith

Dîner

– Blanc de poulet rôti
– Tagliatelles de potiron à l'italienne (page 277)
– Salade mélangée (salade verte, concombre, poivron
  vert, tomates cerises)
– Huile d'olive et vinaigre pour l'assaisonnement

Dessert ou soirée

– Brugnons et framboises + 1 yaourt à 0 % mg

Jour 11

Petit déjeuner

- Milk-shake aux fruits rouges (75 g de fruits rouges mixés avec 2 yaourts à 0 % mg et de la glace pilée)
- Café décaféiné ou thé déthéiné avec du lait écrémé et de l'aspartam

Déjeuner

- Salade frisée aux noix de pécan (page 311)
- Pita à la dinde et à la tomate (75 g de blanc de dinde émincé + 3 rondelles de tomate, 1 poignée de laitue ciselée et 1 cuill. à café de moutarde forte dans un pain pita à la farine complète)

Dîner

- Grillade de bœuf à la bourguignonne (page 205)
- Poivrons et asperges grillés
- Pommes de terre rôties aux herbes (page 330)
- Salade mélangée (salade verte, concombre, poivron vert, tomates cerises)
- Huile d'olive et vinaigre pour l'assaisonnement

Dessert ou soirée

- Petits cheesecakes au citron vert (page 335)

Jour 12

Petit déjeuner

– 1/2 pamplemousse
– 2 œufs brouillés à la mexicaine (avec fromage râpé et salsa à la tomate)
– 1 tranche de pain complet grillé
– Café décaféiné ou thé déthéiné avec du lait écrémé et de l'aspartam

Déjeuner

– Petits rouleaux au bœuf (page 314)
– 1 brugnon

Dîner

– Saumon grillé, salsa à la tomate
– Asperges grillées
– Salade mélangée (salade verte, concombre, poivron vert, tomates cerises)
– Huile d'olive et vinaigre pour l'assaisonnement

Dessert ou soirée
– Bouchée aux abricots (page 338)

Jour 13

Petit déjeuner

- 1/2 pamplemousse
- Omelette légère aux épinards, salsa à la tomate (page 180)
- Café décaféiné ou thé déthéiné avec du lait écrémé et de l'aspartam

Déjeuner

- Poivron rouge farci de fromage blanc et d'une julienne de légumes
- Salade de melon aux fruits rouges

Dîner

- Coquelets tandoori (page 318)
- Salade frisée aux noix de pécan (page 311)
- Graine de couscous
- Hoummous (page 223) avec un pain pita et des bâtonnets de légumes crus

Dessert ou soirée

- Poires pochées au vin rouge

Jour 14

Petit déjeuner

- Omelette sucrée (1 œuf battu avec 75 g de fromage blanc et de l'aspartam)
- Café décaféiné ou thé déthéiné avec du lait écrémé et de l'aspartam

Déjeuner

- Salade du chef (salade mélangée avec au moins 30 g de blanc de poulet ou de dinde, autant de jambon et d'emmental)
- Huile et vinaigre pour l'assaisonnement
- 1 tranche de pain complet

Dîner

- Filets de sole à l'estragon (page 323)
- Tomates grillées (page 218)
- Choux de Bruxelles à la vapeur
- Cœurs d'artichaut en salade (cœurs d'artichaut + tomates cerises coupées en deux + oignons nouveaux émincés)

Dessert ou soirée
- Fraises déguisées au chocolat (page 289)

18

Recettes phase 3

Vous avez maintenant atteint votre poids idéal et vous pouvez réintroduire sans aucune inquiétude dans votre alimentation des produits tels que le pain complet ou encore le riz brun.

Petits déjeuners

Frittata à la tomate et au basilic

Pour 2 personnes

4 œufs • 110 g de tomate coupée en dés • 30 g d'oignon nouveau haché • 3 feuilles de basilic ciselées • 1 cuill. à soupe de margarine au tournesol allégée

Préchauffez le gril du four.

Faites fondre la margarine dans une poêle à feu moyen. Ajoutez les dés de tomate et l'oignon et laissez cuire quelques minutes.

Battez les œufs en omelette avec le basilic. Versez-les dans la poêle, couvrez et faites cuire 5 à 7 minutes. Glissez alors la poêle sous le gril et laissez cuire 1 à 2 minutes.

Analyse nutritionnelle par portion

169 calories	*16 g de protéines*
5 g de glucides	*9 g de lipides*
2 g d'acides gras saturés	*278 mg de sodium*
1 mg de cholestérol	*1 g de fibres*

Tartine surprise

Pour 1 personne

50 g de fromage blanc à 20% mg • 1 tranche de pain multicéréales • 1 pincée de cannelle

Étalez le fromage blanc sur le pain, saupoudrez de cannelle et passez 1 à 2 minutes sous un gril très chaud.

Analyse nutritionnelle par portion

87 calories

12 g de glucides

0 g d'acides gras saturés

5 mg de cholestérol

9 g de protéines

1 g de lipides

347 mg de sodium

3 g de fibres

Déjeuners

Salade frisée aux noix de pécan

Pour 6 personnes

3 poignées de cœur de laitue • 3 poignées de salade frisée préparée • 1 oignon émincé • 90 g de noix de pécan • 5 cl de vinaigre de vin • 1/4 cuill. à café de poivre • 1/4 cuill. à café de sel

Faites légèrement griller les noix de pécan à sec dans une poêle. Concassez-les.

Mélangez les salades, l'oignon et le poivre puis disposez-les dans un saladier.

Au dernier moment, faites chauffer le vinaigre avec les noix de pécan et le sel. Versez le mélange chaud sur les salades et remuez bien.

Analyse nutritionnelle par portion
118 calories
7 g de glucides
1 g d'acides gras saturés
0 mg de cholestérol

2 g de protéines
10 g de lipides
101 mg de sodium
3 g de fibres

Couscous en salade, sauce épicée au yaourt

Pour 4 personnes

Pour la graine : *250 g de graines de couscous complet • 1 petit oignon finement haché • 1 petite branche de céleri en julienne • 25 cl d'eau • 1 cuill. à soupe d'huile d'olive*

Pour la salade : *75 g de raisins secs • 75 g de pois chiches en conserve, rincés et égouttés • 75 g de poivron rouge coupé en dés • 75 g de poivron vert coupé en dés • 2 cuill. à soupe de coriandre ou de persil plat ciselé • 2 cuill. à soupe d'oignon nouveau haché • 1 citron coupé en quartiers (facultatif)*

Pour la sauce au yaourt : *3 cuill. à soupe de yaourt à 0 % mg • 3 cuill. à soupe de jus de citron • 1 cuill. à soupe d'huile d'olive • 2 cuill. à café de gingembre râpé • 1 gousse d'ail écrasée ou finement hachée • 1 cuill. à café de cumin moulu • 1 cuill. à café de coriandre moulue • 1 pincée de poivre*

Préparez d'abord la graine. Versez l'eau dans une casserole, ajoutez l'oignon, le céleri et l'huile d'olive. Portez à ébullition et laissez cuire 2 à 3 minutes. Retirez du feu et versez l'ensemble sur la graine dans un saladier. Couvrez, laissez gonfler la graine en respectant le temps indiqué sur l'emballage, puis égrenez-la à la fourchette. Laissez refroidir.

Fouettez ensemble les ingrédients de la sauce.

Transvasez le couscous dans un plat creux ou un saladier. Ajoutez les raisins secs, les poivrons, les herbes et les épices. Versez la sauce sur le plat au dernier moment et mélangez bien. Décorez avec des quartiers de citron.

Analyse nutritionnelle par portion

393 calories	*12 g de protéines*
69 g de glucides	*9 g de lipides*
1 g d'acides gras saturés	*31 mg de sodium*
1 mg de cholestérol	*8 g de fibres*

Salade de thon au concombre et au poivron, vinaigrette à l'aneth

Pour 4 personnes

1 concombre moyen pelé et coupé en dés ou en rondelles • 1 poivron rouge épépiné et coupé en dés • 370 g de thon en conserve au naturel, égoutté • quelques belles feuilles de laitue • 1 petit citron pelé, épépiné et coupé en rondelles

Pour l'assaisonnement : *5 cl d'huile d'olive • 3 cuill. à soupe de jus de citron • 1 ou 2 cuill. à soupe d'aneth ciselé • 1/2 cuill. à café de sel • 1/2 cuill. à café de poivre*

Préparez la vinaigrette. Fouettez légèrement l'huile d'olive, le jus de citron, l'aneth, le sel et le poivre.

Disposez les feuilles de laitue dans les assiettes. Émiettez le thon dans un saladier et mélangez-le au concombre et au poivron. Répartissez-le sur la salade et nappez de vinaigrette.

Analyse nutritionnelle par portion

282 calories	*24 g de protéines*
9 g de glucides	*17 g de lipides*
3 g d'acides gras saturés	*640 mg de sodium*
39 mg de cholestérol	*2 g de fibres*

Petits rouleaux au bœuf

Pour 4 personnes

225 g de rosbif cuit, coupé en fines lamelles • 4 feuilles d'épinard lavées et séchées • 4 galettes de sarrasin • 50 g de fromage frais allégé • 1/2 oignon rouge émincé

Étalez du fromage frais et une feuille d'épinard sur chaque galette, puis répartissez l'oignon et les lamelles de bœuf. Rabattez deux côtés opposés sur la garniture, puis enroulez les galettes sur elles-mêmes.

Analyse nutritionnelle par portion

300 calories	*13 g de protéines*
42 g de glucides	*9 g de lipides*
3 g d'acides gras saturés	*659 mg de sodium*
21 mg de cholestérol	*3 g de fibres*

Dîners

Poulet grillé à la marocaine

Pour 4 personnes

4 petits blancs de poulet sans peau • 175 g de graines de couscous • 5 cl d'huile d'olive • 1 cuill. à café d'origan ciselé • 1/2 cuill. à café de piment de la Jamaïque en poudre • 1/2 cuill. à café de cumin moulu • 1/2 cuill. à café de clous de girofle moulus • 3 gousses d'ail écrasées ou finement hachées • sauce piment (page 250)

Préchauffez le gril à température moyenne en plaçant la grille assez loin de la source de chaleur.

Mélangez l'huile d'olive, l'origan, le piment, le cumin, les clous de girofle et l'ail dans un plat à four. Roulez-y les blancs de poulet. Mettez le plat au four et faites cuire 20 à 30 minutes, en retournant une ou deux fois les blancs de poulet.

Pendant ce temps, préparez la graine de couscous en suivant les instructions de l'emballage. Répartissez-la dans les assiettes.

Coupez les blancs de poulet en lamelles et disposez-les autour de la graine. Nappez la viande de jus de cuisson.

429 calories	32 g de protéines
37 g de glucides	16 g de lipides
2 g d'acides gras saturés	89 mg de sodium
66 mg de cholestérol	4 g de fibres

Sauce piment

Pour 8 cuillerées à soupe

1 petit piment en conserve au naturel égoutté • 2 cuill. à soupe de jus de citron

Mixez le piment et le jus de citron jusqu'à obtenir une purée mousseuse. Servez dans une petite coupe à température ambiante.

Analyse nutritionnelle par portion

10 calories	0 g de protéines
2 g de glucides	0 g de lipides
0 g d'acides gras saturés	4 mg de sodium
0 mg de cholestérol	0 g de fibres

Poulet rôti à l'ail et aux agrumes

Pour 6 personnes

1 poulet coupé en morceaux (environ 1,5 kg) • 20 gousses d'ail moyennes, entières et pelées • 22,5 cl + 3 cuill. à soupe d'huile d'olive • 1 bouquet de persil plat • le zeste de 1 orange • le zeste de 1 citron vert • 450 g de racine de manioc pelée (dans les magasins de produits asiatiques) • 2 oignons émincés • 45 cl de jus d'oranges sanguines • 22,5 cl de bouillon de poulet dégraissé

Faites fondre les gousses d'ail dans une casserole avec 5 centilitres d'huile d'olive, puis laissez refroidir. Mixez la moitié des gousses avec le persil, les zestes d'orange et de citron vert et 17,5 centilitres d'huile d'olive jusqu'à obtenir une purée fine.

Mettez les morceaux de poulet dans un plat creux, versez la préparation dessus et remuez. Couvrez avec un film alimentaire et laissez mariner au réfrigérateur pendant 24 heures.

Faites cuire le manioc à l'eau bouillante salée jusqu'à ce qu'il soit tendre, puis égouttez-le. Faites fondre l'oignon quelques minutes avec un peu d'eau. Réservez-les.

Versez le jus d'oranges dans une petite casserole, portez à petite ébullition et laissez cuire doucement quelques minutes. Ajoutez le bouillon de poulet et poursuivez la cuisson pour que le liquide épaississe un peu. Réservez.

Préchauffez le four à 180 °C (th. 6) et mettez le poulet à cuire 40 à 45 minutes.

Émincez le manioc et faites-le revenir avec les 3 cuillerées d'huile d'olive restantes. Ajoutez l'oignon et le reste des gousses d'ail et laissez sur le feu le temps de les réchauffer.

Servez chaud avec le manioc et nappez de sauce.

Analyse nutritionnelle par portion

630 calories	*25 g de protéines*
50 g de glucides	*37 g de lipides*
8 g d'acides gras saturés	*240 mg de sodium*
85 mg de cholestérol	*4 g de fibres*

Coquelets tandoori

Pour 6 personnes

3 coquelets (environ 450 g chacun) • 2 yaourts à 0 % mg • 1 petit oignon émincé • 3 gousses d'ail écrasées ou finement hachées • 1 1/2 cuill. à café de piment en poudre • 3 cuill. à soupe de jus de citron • 1 cuill. à soupe de gingembre râpé • 1 cuill. à café de graines de cumin • 1/2 cuill. à café de graines de curcuma • 1 pincée de poivre • 1 citron vert coupé en quartiers (facultatif) • quelques feuilles de coriandre ou de persil plat (facultatif) • 1/2 cuill. à café de sel (facultatif)

Tranchez les coquelets en deux dans la longueur. Incisez plusieurs fois la peau. Essuyez-les soigneusement.

Mélangez 1 cuillerée de piment avec le sel, le poivre et le jus de citron et enduisez-en les coquelets. Laissez mariner 15 minutes.

Fouettez ensemble les yaourts, l'ail, le gingembre, l'oignon, le cumin, le curcuma et le reste de piment jusqu'à obtenir un mélange bien homogène dont vous enduisez les coquelets. Couvrez avec un film alimentaire, laissez mariner au réfrigérateur au moins 8 heures en retournant plusieurs fois les coquelets.

Préchauffez le four à 210 °C (th. 7).

Placez les coquelets dans un plat à rôtir en les posant sur une grille, côté peau vers le haut. Nappez-les de marinade, enfournez et faites cuire environ 45 minutes.

Servez très chaud, en retirant la peau. Décorez le plat de quelques quartiers de citron vert et parsemez de pluches de persil ou de coriandre.

Analyse nutritionnelle par portion

150 calories .... 22 g de protéines
8 g de glucides .... 4 g de lipides
1 g d'acides gras saturés ... 100 mg de sodium
90 mg de cholestérol .... 1 g de fibres

Coquelets à l'abricot

Pour 4 personnes

4 coquelets • 100 g de marmelade d'abricots sans sucre • 7,5 cl de jus d'oranges • 5 cl d'huile d'olive • sel et poivre

Préchauffez le four à 180 °C (th. 6).

Essuyez les coquelets. Salez et poivrez légèrement l'intérieur. Placez-les dans un plat à rôtir en les posant sur une grille, les blancs vers le haut, en évitant qu'ils se touchent.

Mélangez la marmelade d'abricots et le jus d'oranges et enduisez-en les coquelets. Enfournez et faites cuire 50 à 60 minutes, en les badigeonnant toutes les 10 minutes avec le jus de cuisson.

Sortez le plat du four et laissez reposer une dizaine de minutes avant de servir.

Analyse nutritionnelle par portion

449 calories .... 22 g de protéines
26 g de glucides .... 28 g de lipides
7 g d'acides gras saturés ... 171 mg de sodium
126 mg de cholestérol ... 1 g de fibres

Rumsteck grillé au romarin

Pour 4 personnes

4 pavés de rumsteck • 2 gousses d'ail écrasées ou finement hachées • 2 cuill. à soupe de feuilles de romarin ciselées • 1 cuill. à soupe d'huile d'olive • 1 cuill. à café de zeste de citron râpé • 1 cuill. à café de poivre • 1 brin de romarin (facultatif)

Incisez les deux côtés des pavés de rumsteck et posez-les dans un plat creux.

Mélangez le romarin, l'ail, l'huile, le zeste de citron et le poivre. Enduisez-en la viande, couvrez avec un film alimentaire et laissez mariner au réfrigérateur pendant 1 heure.

Préchauffez le gril (ou préparez le barbecue) en plaçant la grille à environ 15 centimètres de la source de chaleur.

Faites griller les pavés de rumsteck 6 à 10 minutes selon leur épaisseur et le degré de cuisson souhaité, en les retournant à mi-cuisson. Servez les pavés coupés en tranches sur un plat chaud.

Analyse nutritionnelle par portion

247 calories	*21 g de protéines*
1 g de glucides	*17 g de lipides*
6 g d'acides gras saturés	*50 mg de sodium*
60 mg de cholestérol	*0 g de fibres*

Brochettes de bœuf
aux poivrons et aux champignons

Pour 4 personnes

450 g de rumsteck coupé en cubes • 1 gros poivron rouge coupé en morceaux • 12 têtes de champignons de Paris • 225 g de riz brun • 30 g de pignons légèrement grillés • 1 cuill. à soupe de jus de citron • 1 cuill. à soupe d'huile d'olive • 1 cuill. à soupe d'eau • 2 cuill. à café de moutarde forte • 1/2 cuill. à café d'origan ciselé • 1/4 cuill. à café de poivre

Mélangez le jus de citron, l'huile d'olive, l'eau, la moutarde, l'origan et le poivre dans un plat creux. Roulez-y les cubes de viande.

Enfilez les cubes de viande sur quatre brochettes métalliques en les alternant avec les morceaux de poivron et les champignons.

Préparez le riz en suivant les instructions de l'emballage, égouttez-le et réservez-le au chaud.

Préchauffez le gril (ou préparez le barbecue) en plaçant la grille à environ 15 centimètres de la source de chaleur. Faites cuire les brochettes 6 à 8 minutes selon le degré de cuisson souhaité, en les retournant fréquemment.

Mélangez les pignons au riz bien chaud et posez les brochettes dessus.

Analyse nutritionnelle par portion

493 calories	*33 g de protéines*
50 g de glucides	*18 g de lipides*
5 g d'acides gras saturés	*125 mg de sodium*
75 mg de cholestérol	*4 g de fibres*

Flétan à la provençale

Pour 4 personnes

*750 g de filets de flétan (ou tout autre poisson blanc) •
225 g de tomates pelées au naturel • 75 g d'olives noires
à la grecque • 7,5 cl de vin blanc sec • 5 cl d'huile d'olive
• 2 1/2 cuill. à soupe de câpres • 3 cuill. à soupe d'échalotes finement hachées • 1/2 cuill. à soupe de feuilles de
romarin ciselées • 1/2 cuill. à soupe d'ail écrasé ou finement haché*

Préchauffez le four à 180 °C (th. 6).

Faites chauffer l'huile à feu vif dans une poêle, puis
ajoutez les filets de poisson, baissez le feu et faites-les
cuire 6 à 10 minutes selon leur épaisseur, en les retournant à mi-cuisson. Glissez-les sur une plaque et maintenez-les au chaud dans le four entrouvert.

Ajoutez les câpres, les olives, les tomates et l'échalote
dans la poêle et faites mijoter à feu moyen environ
5 minutes.

Nappez les filets de poisson de sauce et servez aussitôt.

Analyse nutritionnelle par portion

362 calories	*36 g de protéines*
6 g de glucides	*19 g de lipides*
3 g d'acides gras saturés	*543 mg de sodium*
63 mg de cholestérol	*1 g de fibres*

Papillotes d'empereur au citron

Pour 4 personnes

4 gros morceaux d'empereur (ou de filet de poisson blanc) • 30 g de carottes en julienne • 30 g de céleri en julienne • 30 g d'oignon finement haché • 2 citrons coupés en fines rondelles • 2 cuill. à soupe de persil plat ciselé

Préchauffez le four à 180 °C (th. 6).

Découpez quatre carrés de papier sulfurisé de 30 centimètres de côté. Posez un morceau de poisson au centre de chacun, puis répartissez dessus les carottes, le céleri, l'oignon et les rondelles de citron. Formez des papillotes.

Placez les papillotes dans un plat ou sur une plaque, enfournez et faites cuire environ 15 minutes. Servez aussitôt.

Analyse nutritionnelle par portion

362 calories	*36 g de protéines*
6 g de glucides	*19 g de lipides*
3 g d'acides gras saturés	*543 mg de sodium*
63 mg de cholestérol	*1 g de fibres*

Filets de sole à l'estragon

Pour 2 personnes

225 g de filets de sole (ou tout autre poisson blanc) • 30 g d'oignon nouveau haché • 1 cuill. à café d'estragon ciselé • 5 cl de jus de citron

Préchauffez le four à 180 °C (th. 8).

Rangez les filets de sole sur une plaque ou dans un plat. Arrosez-les de jus de citron, parsemez d'estragon et d'oignon, puis enfournez et faites cuire 8 à 12 minutes selon l'épaisseur des morceaux. Servez aussitôt.

Analyse nutritionnelle par portion
114 calories   *22 g de protéines*
4 g de glucides   *1 g de lipides*
0 g d'acides gras saturés   *80 mg de sodium*
65 mg de cholestérol   *1 g de fibres*

Riz sauvage aux crevettes

Pour 4 personnes

225 g de riz sauvage • 450 g de queues de crevettes crues, décortiquées • 2 cuill. à café de paprika • 1/2 cuill. à café de poivre blanc • 1/2 gousse d'ail écrasée ou finement hachée • 1 cuill. à soupe d'huile d'olive • 100 g de tomates cerises coupées en deux • 1/2 cuill. à café de sel • persil plat ciselé (facultatif)

Faites cuire le riz en respectant les indications de l'emballage. Égouttez-le et réservez-le au chaud.

Dans un saladier, mélangez les queues de crevettes avec le paprika, le poivre, le sel et l'ail. Faites-les cuire 1 à 2 minutes à feu modéré dans une poêle avec l'huile d'olive, en remuant fréquemment.

Disposez les crevettes sur le plat de riz et servez très chaud.

Analyse nutritionnelle par portion
368 calories   *32 g de protéines*
46 g de glucides   *6 g de lipides*

1 g d'acides gras saturés   467 mg de sodium
172 mg de cholestérol   4 g de fibres

Salade asiatique à la poire

Pour 4 personnes

225 g de cœur de laitue • 4 poires pelées, épépinées et coupées en dés • 1 échalote finement hachée • 2 1/2 cuill. à café de gingembre râpé • 45 cl d'eau • 1 gousse de vanille • 3 cuill. à soupe de vinaigre de Xérès • 2 cuill. à soupe de vinaigre de riz • 5 cl d'huile de soja (ou d'olive) • sel et poivre • 1 carotte râpée (facultatif)

Faites cuire les poires dans une casserole d'eau à petits bouillons avec l'échalote et le gingembre jusqu'à ce qu'elles soient tendres. Égouttez-les et laissez refroidir. Réservez-en une entière et mixez les autres en purée fine.

Fendez la gousse de vanille en deux dans la longueur et grattez les graines avec un couteau. Mélangez-les à la purée de poire. Coupez la poire entière en petits dés.

Mélangez le coulis de poire, le vinaigre de Xérès et le vinaigre de riz dans un grand bol, puis incorporez l'huile en fouettant vivement pour émulsionner. Salez et poivrez.

Disposez la laitue dans une coupe, versez le coulis de poire et mélangez bien. Parsemez la surface de carotte râpée et décorez avec les dés de poire.

Servez cette salade originale avec des côtelettes d'agneau grillées.

Variante : *vous pouvez remplacer deux des poires par la même quantité de pommes.*

Analyse nutritionnelle par portion

200 calories	*2 g de protéines*
17 g de glucides	*14 g de lipides*
2 g d'acides gras saturés	*20 mg de sodium*
0 mg de cholestérol	*5 g de fibres*

Épinards à la crème

Pour 6 personnes

300 g d'épinards frais ou surgelés • 2 petites échalotes finement hachées • 1 gousse d'ail écrasée ou finement hachée • 60 g de crème liquide à 7% mg • 1/2 cuill. à café de sel • 1/4 cuill. à café de poivre mignonnette

Faites revenir les épinards à feu moyen dans une grande poêle jusqu'à ce que toute leur eau de végétation soit évaporée. Ajoutez l'échalote et l'ail et poursuivez la cuisson quelques minutes. Baissez le feu, ajoutez la crème, salez et poivrez. Laissez épaissir légèrement la sauce à feu très doux et servez aussitôt.

Analyse nutritionnelle par portion

35 calories	*3 g de protéines*
6 g de glucides	*0 g de lipides*
0 g d'acides gras saturés	*282 mg de sodium*
0 mg de cholestérol	*3 g de fibres*

Salade tomate-mozzarella

Pour 4 personnes

2 tomates moyennes, mûres mais fermes, coupées en rondelles • 100 g de mozzarella coupée en lamelles • 25 g de basilic ciselé + quelques feuilles pour le décor • 2 cuill. à soupe d'huile d'olive • 2 cuill. à soupe de vinaigre balsamique • 1 cuill. à café de poivre mignonnette

Disposez les rondelles de tomates sur une grande assiette en alternant avec des lamelles de mozzarella et en répartissant le basilic ciselé au fur et à mesure. Mélangez l'huile et le vinaigre et versez-les sur la salade. Décorez avec quelques feuilles de basilic entières et poivrez.

Analyse nutritionnelle par portion
163 calories   6 g de protéines
5 g de glucides   13 g de lipides
5 g d'acides gras saturés 114 mg de sodium
22 mg de cholestérol   1 g de fibres

Salade de roquette et de cresson

Pour 2 personnes

2 grosses poignées de roquette • 2 grosses poignées de cresson • 16 fraises coupées en deux • 1 pincée de poivre

Pour le chutney : *150 g de fraises équeutées et émincées • 1 cuill. à soupe de vinaigre balsamique • 1 1/2 cuill. à soupe d'eau • 1/2 cuill. à soupe de poivre mignonnette*

Pour la vinaigrette : *1 1/4 cuill. à soupe de jus de citron • 1 1/4 cuill. à soupe de vinaigre de vin • 10 cl d'huile d'olive • 1 1/4 cuill. à soupe de poivre mignonnette*

Préparez le chutney. Mettez les fraises dans une casserole avec le vinaigre, l'eau et le poivre, portez à ébullition et faites cuire à feu très doux environ 25 minutes, en remuant de temps en temps. Transvasez dans une coupelle, couvrez avec un film alimentaire et placez au réfrigérateur.

Pour faire la vinaigrette, mélangez le jus de citron et le vinaigre, puis versez doucement l'huile en fouettant pour émulsionner. Poivrez et réservez. Fouettez à nouveau au dernier moment.

Pour servir, mélangez la roquette et le cresson dans un saladier avec 4 cuillerées de vinaigrette. Répartissez cette salade dans quatre coupes.

Étalez le poivre dans une soucoupe. Prenez la moitié des demi-fraises, posez leur face coupée sur les grains et appuyez bien pour les faire adhérer. Disposez-les sur la salade en les alternant avec les fraises nature. Versez le reste de vinaigrette en surface et répartissez le chutney.

Analyse nutritionnelle par portion

308 calories	*2 g de protéines*
13 g de glucides	*28 g de lipides*
4 g d'acides gras saturés	*22 mg de sodium*
0 mg de cholestérol	*4 g de fibres*

Veau grillé aux épinards

Dîner en phases 1,2 ou 3.

Pour 2 personnes

2 fines escalopes de veau (100 à 150 g chacune) • 1 cuill. à café de basilic ciselé • 2 gousses d'ail écrasées ou finement hachées • 1/4 cuill. à café de paprika • 3 cuill. à soupe d'huile d'olive • sel et poivre

Pour l'accompagnement : *300 g d'épinards frais ou surgelés • 5 cl d'huile d'olive • 4 gousses d'ail entières pelées • 1 pincée de paprika • 1/4 cuill. à café de poivre • 1/4 cuill. à café de sel*

Préchauffez le gril (ou préparez le barbecue) en plaçant la grille à environ 20 centimètres de la source de chaleur, et au-dessus de la lèchefrite.

Mélangez le basilic, l'ail, le paprika, le sel et le poivre avec l'huile d'olive dans un plat creux. Enduisez le veau de cette marinade.

Placez les escalopes sur la grille et faites-les cuire environ 6 minutes, en les retournant à mi-cuisson et en les badigeonnant plusieurs fois avec la marinade.

Pendant ce temps, préparez les épinards. Mettez l'huile à chauffer dans une poêle avec le sel, le poivre, l'ail et le paprika, ajoutez les épinards et faites-les cuire à feu vif en les retournant souvent, jusqu'à ce que toute leur eau de végétation soit évaporée. Transvasez-les dans un plat chaud et posez les escalopes grillées dessus. Servez aussitôt.

Analyse nutritionnelle par portion

357 calories	25 g de protéines
9 g de glucides	25 g de lipides

54 g d'acides gras saturés 380 mg de sodium
100 mg de cholestérol   0 g de fibres

Salade méditerranéenne

Pour 4 personnes

4 poignées de laitue ou de romaine ciselée • 75 g d'olives noires dénoyautées, coupées en rondelles • 50 g de feta émiettée • 11 cl vinaigrette balsamique (page 138)

Mélangez bien la salade et les rondelles d'olives dans un saladier puis répartissez-les dans quatre coupelles. Versez la vinaigrette dessus et parsemez de feta.

Analyse nutritionnelle par portion
101 calories   2 g de protéines
11 g de glucides   5 g de lipides
1 g d'acides gras saturés 716 mg de sodium
8 mg de cholestérol   1 g de fibres

Pommes de terre rôties aux herbes

Pour 4 personnes

675 g de petites pommes de terre (BF15, roseval) • 3/4 cuill. à café de feuilles de romarin ciselées • 1/2 cuill. à café de graines de moutarde • 1/2 cuill. à café de sauge ciselée • 1/2 cuill. à café de feuilles de thym • 2 cuill. à soupe d'huile d'olive • 1/4 cuill. à café de poivre

Préchauffez le four à 230 °C (th. 7/8).

Pelez les pommes de terre.

Mettez l'huile, le romarin, les graines de moutarde, la

sauge, le thym et le poivre dans un saladier. Ajoutez les pommes de terre et remuez.

Découpez quatre carrés de papier aluminium de 12 centimètres de côté. Répartissez-y les pommes de terre assaisonnées, puis formez des papillotes. Enfournez et faites cuire 25 à 30 minutes.

Analyse nutritionnelle par portion

183 calories	5 g de protéines
30 g de glucides	7 g de lipides
1 g d'acides gras saturés	0 mg de sodium
0 mg de cholestérol	4 g de fibres

Desserts

Fraises au vinaigre balsamique

Pour 4 personnes

675 g de fraises équeutées et coupées en deux • 1 cuill. à soupe d'aspartam en poudre • 3 cuill. à soupe de vinaigre balsamique • poivre • quelques feuilles de menthe (facultatif)

Mélangez les fraises avec le vinaigre balsamique et l'aspartam et laissez reposer à température ambiante.

Pour servir, répartissez les fruits dans quatre coupelles. Poivrez en surface et décorez avec des feuilles de menthe.

Analyse nutritionnelle par portion

59 calories	*1 g de protéines*
14 g de glucides	*1 g de lipides*
0 g d'acides gras saturés	*5 mg de sodium*
0 mg de cholestérol	*4 g de fibres*

Poires pochées

Pour 4 personnes

*4 petites poires coupées en deux, pelées et épépinées •
60 cl d'eau • le jus de 1/2 citron • 1 ou 2 gouttes d'extrait d'amande amère • 1 cuill. à soupe d'aspartam en
poudre*

Mettez l'eau, le jus de citron, l'extrait d'amande et l'aspartam dans une casserole juste assez grande pour
contenir les poires. Portez à ébullition.

Ajoutez les demi-fruits et faites cuire à petits bouillons
environ 10 minutes.

Transvasez les poires dans des coupelles individuelles
avec le jus de cuisson et placez au réfrigérateur jusqu'au
moment de servir.

Analyse nutritionnelle par portion
199 calories	*11 g de protéines*
25 g de glucides	*1 g de lipides*
0 g d'acides gras saturés	*549 mg de sodium*
0 mg de cholestérol	*4 g de fibres*

Crumble aux poires

Pour 8 personnes

*4 poires moyennes, pelées, coupées en deux et épépinées • 5 cl de jus d'oranges • 50 g de biscuits au
gingembre ou aux amandes • 2 cuill. à soupe de noix
concassées • 2 cuill. à soupe de margarine ou de beurre
fondu*

Préchauffez le four à 180 °C (th. 6).

Rangez les demi-poires (face vers le haut) dans un plat à gratin juste assez grand pour les contenir. Arrosez-les de jus d'oranges.

Écrasez les biscuits pour obtenir une chapelure grossière. Mélangez-les aux noix et au beurre fondu, puis répartissez cette préparation sur les poires.

Enfournez et faites cuire 20 à 25 minutes.

Analyse nutritionnelle par portion

110 calories	*1 g de protéines*
16 g de glucides	*5 g de lipides*
1 g d'acides gras saturés	*55 mg de sodium*
0 mg de cholestérol	*2 g de fibres*

Petits cheesecakes au citron vert

Pour 12 personnes

12 gaufrettes ou biscuits ronds • 175 g de faisselle à 0% mg • 225 g de fromage de chèvre frais • 100 g de sucre • 2 œufs • 50 g de yaourt à 0% mg • 2 kiwis moyens, pelés et coupés en demi-rondelles • 1 cuill. à soupe de zeste de citron vert râpé • 1 cuill. à soupe de jus de citron vert • 1 cuill. à café d'extrait de vanille

Posez douze caissettes à pâtisserie en papier dans un moule à muffin. Mettez un biscuit au fond de chacune.

Préchauffez le four à 180 °C (th. 6).

Fouettez vivement la faisselle, puis ajoutez progressivement le fromage frais et le sucre sans cesser de fouetter. Incorporez les œufs, le zeste, le jus de citron et l'extrait de vanille en continuant à mélanger jusqu'à obtenir une préparation crémeuse.

Versez dans les moules, enfournez et faites cuire environ 20 minutes.

Laissez refroidir sur une grille avant de démouler, puis placez au réfrigérateur. Nappez chaque gâteau d'un peu de yaourt et décorez avec des rondelles de kiwi.

Analyse nutritionnelle par portion

129 calories	*5 g de protéines*
13 g de glucides	*7 g de lipides*
3 g d'acides gras saturés	*161 mg de sodium*
51 mg de cholestérol	*1 g de fibres*

Génoise glacée au chocolat

Pour 10 personnes

7 blancs d'œufs • 3 jaunes d'œufs • 175 g de sucre • 100 g de farine tamisée • 35 g de chocolat noir (à 70 % de cacao) • 3 cuill. à soupe de beurre fondu tiède • 2 cuill. à soupe de margarine au tournesol • 1 cuill. à café d'extrait de vanille

Préchauffez le four à 180 °C (th. 6) et enduisez de margarine un moule à cake de 25 centimètres.

Battez les blancs d'œufs en neige ferme. À la fin, ajoutez le sucre en poudre, cuillerée par cuillerée, en continuant à fouetter pour meringuer.

Dans un autre bol, fouettez les jaunes avec l'extrait de vanille. Incorporez le tiers des blancs. Ajoutez le reste des blancs très délicatement pour ne pas les briser. Mélangez jusqu'à obtenir un mélange homogène.

Saupoudrez la farine et incorporez-la au fur et à mesure en remuant toujours délicatement les œufs. Ajoutez enfin le beurre fondu et mélangez.

Versez la pâte dans le moule, enfournez et faites cuire 40 à 45 minutes. Démoulez le gâteau et laissez-le refroidir.

Faites fondre le chocolat dans une casserole au bain-marie en remuant jusqu'à obtenir une crème lisse. Versez-la sur le gâteau en laissant couler l'excédent sur les côtés.

Analyse nutritionnelle par portion

197 calories	*4 g de protéines*
26 g de glucides	*9 g de lipides*
4 g d'acides gras saturés	*76 mg de sodium*
73 mg de cholestérol	*0 g de fibres*

Poires au chocolat

Pour 2 personnes

2 comices mûres mais fermes • 30 g de chocolat noir (à 70 % de cacao)

Lavez et essuyez les poires avec soin. Coupez la base pour qu'elles tiennent debout et retirez le cœur et les pépins avec un vide-pomme. Placez chaque poire dans un ramequin et répartissez les carrés de chocolat à l'intérieur.

Placez les moules dans une casserole juste assez grande pour les contenir et versez de l'eau dans le fond jusqu'à mi-hauteur des moules. Portez à ébullition, couvrez et laissez cuire environ 20 minutes. Servez chaud.

Bouchées aux abricots

Pour 8 personnes

24 abricots secs • 50 g de chocolat noir (à 70% de cacao) • 1 cuill. à soupe de pistaches concassées

Faites fondre le chocolat dans une casserole au bain-marie, en remuant jusqu'à obtenir une crème onctueuse. Saisissez les abricots avec une fourchette et trempez-les l'un après l'autre dans le chocolat. Rangez-les sur une plaque recouverte de papier sulfurisé et parsemez-les de pistaches. Laissez refroidir. Mettez à durcir au réfrigérateur.

Index des recettes

PHASE 1

PHASE 2

PHASE 3

Apprendre à maigrir

Réponses à 100 questions sur les régimes

Dr Hervé Robert

Le point sur toutes les méthodes pour maigrir intelligemment en respectant sa santé

POCKET

(Pocket n° 12219)

Dans une société où la minceur est devenue une véritable obsession, cet ouvrage, passant en revue les différentes méthodes existantes, répond aux questions les plus fréquemment posées sur le sujet. Le Dr Robert, spécialiste des problèmes de nutrition, vous guide afin d'établir un bilan personnel et choisir la méthode qui vous convient le mieux. Pour comprendre, puis prendre en main vos problèmes de poids, afin de pouvoir maigrir durablement à votre propre rythme.

Il y a toujours un Pocket à découvrir

Le plaisir de mincir

Allen Carr

La méthode simple pour perdre du poids

Maigrir sans se priver!

(Pocket n° 11141)

Gourmandes et gourmands, ce livre est fait pour vous. Parce que manger peut être synonyme de bien-être, d'équilibre et de satiété, Allen Carr propose dans cet ouvrage de se réapproprier les valeurs du goût. C'est avec logique et bon sens qu'il proscrit les obligations et les interdits – qui dictent souvent notre conduite alimentaire –, et qu'il prône la liberté de se laisser guider par ses envies et ses besoins. Car ce n'est qu'à partir de ce plaisir retrouvé que l'on peut aboutir à une alimentation plus saine et… perdre du poids !

Il y a toujours un Pocket à découvrir

Réveillez vos papilles, oubliez les kilos

Thérèse Ellul- Ferrari

130 recettes minceur
en 5 à 10 minutes chrono

Appétissantes,
peu caloriques,
faciles et rapides à réaliser

POCKET

(Pocket n° 11952)

Pour toutes celles et ceux qui rêvent de manger équilibré … mais qui n'ont le temps que d'avaler un sandwich, voici le livre miracle. L'auteur, diététicienne, a concocté avec l'aide de son mari cuisinier des recettes très peu caloriques à faire frémir et fondre de plaisir les plus gourmands : fondue de poivrons, pavés de rumsteck à l'italienne, brochette de fruits rouges en papillotes… Un concentré de minceur en 10 minutes chrono !

Il y a toujours un Pocket à découvrir

Photocomposition NORD COMPO
59650 Villeneuve-d'Ascq

Impression réalisée sur Presse Offset par

BRODARD & TAUPIN

GROUPE CPI

35975 – La Flèche (Sarthe), le 31-05-2006
Dépôt légal : avril 2005
Suite du premier tirage : juin 2006

POCKET – 12, avenue d'Italie - 75627 Paris cedex 13

Imprimé en France